Le Sexe sale

PAULINE GÉLINAS

Le Sexe sale

roman

Les Éditions des Intouchables bénéficient du soutien financier de la SODEC, du PADIÉ et sont inscrites au Programme de subvention globale du Conseil des Arts du Canada.

LES ÉDITIONS DES INTOUCHABLES
4674, rue de Bordeaux
Montréal, Québec
H2H 2A1
Téléphone : (514) 529-8708
Télécopieur : (514) 529-7780
intouchables@yahoo.com
www.lesintouchables.com

DISTRIBUTION :
Prologue
1650, boulevard Lionel-Bertrand
Boisbriand, Québec
J7H 1N7
Téléphone : (450) 434-0306
Télécopieur : (450) 434-2627
prologue@prologue.com

Impression : AGMV-Marquis
Infographie : Yolande Martel
Maquette de couverture : François Vaillancourt

Dépôt légal : 2001
Bibliothèque nationale du Québec
Bibliothèque nationale du Canada

ISBN 2-89549-030-9

À Dan, pour son écho littéraire si nourrissant et sa complicité d'écrivain qui aura été l'élan décisif à faire sortir de mes tiroirs les mots qui suivent... me donnant ainsi à vivre, par-delà hier, tant d'ensoleillés demains plus près de ce que je suis... plus près du vrai lieu que j'habite enfin : mes mots...

À Éliane, pour son amitié si vraie, pour avoir entendu si parfaitement le cri de ce roman, pour n'avoir jamais fui devant mon délire, pour être épaule constante à mes angoisses et à mes chagrins, pour savoir m'être si solide rempart malgré notre si ressemblante fragilité, pour être toujours complice de mes rires et de mes folies... et pour son chant qui, chaque fois, me redonne l'heure la plus précieuse de mon enfance...

À Marie-José, pour avoir guidé si respectueusement ma reconstruction...

À Jean Levesque, pour m'avoir gardée en vie...

À Monsieur DuLoup et à Sa Dame pour leur amour indéfectible et inconditionnel... pour avoir été ma vie le temps que j'avais perdu la mienne, et m'avoir offert leur vie pour que je retrouve la mienne...

Licence my roaving hands, and let them go,
Before, behind, between, above, below.
O my America! my new-found-land,
My kingdome, safeliest when with one man man'd,
My Myne of precious stones: My Emperie,
How blest am I in this discovering thee!
To enter in these bonds, is to be free;
Then where my hand is set, my seal shall be.
Full nakedness! All joyes are due to thee,
As souls unbodied, bodies uncloth'd must be,
To taste whole joyes...»

JOHN DONNE
prédicateur anglican
1572-1631

... quelques siècles avant le pire de notre aliénant et dépossédant
. obscurantisme puritain
animé par nos ecclésiastiques.

À Thee...

Il est bien peu de monstres qui méritent
la peur que nous en avons.

ANDRÉ GIDE

Chapitre 1

Petite, j'avais la tête vide. Je ne savais pas comment
l'utiliser pour le vol plané. J'avais le geste, sans plus. Après
le «pipi-bonne-nuit», je grimpais l'escalier à la hâte. Fébrile.
Avide de cette voluptueuse envolée. Fugace, cependant. Je
me calais la tête dans le gros oreiller de plumes trop dur, et
je m'aplatissais sous un amas de couvertures trop lourdes.
Fidèle au rendez-vous : mon délice suprême. Couchée sur
le côté gauche, je serrais mes cuisses et mes fesses. Doux
spasme recelant le secret de l'envol des oiseaux. Il m'enle-
vait, me prenait sur son aile. Trois, quatre, cinq secondes.
Plaisir exquis !

La main était demeurée pure. Mais, ô malheur ! que de
perversité entre ces cuisses ! Tout ce mal qui les attirait
l'une contre l'autre comme des amants. Et jamais assez de
volonté pour résister à cette diabolique attraction. Péché.
Mal. Saleté. Honte. Honte. Honte. Et la sorcière de la nuit
venait cracher son venin de remords.

Il n'y avait plus que la prière pour me secourir. Que
d'obsécrations, de déprécations pour être délivrée de ce
joug de malheur ! Parfois, je croyais avoir enfin tout l'appui
du Ciel et toute la détermination du monde pour affronter
le coucher du lendemain et réussir à me mettre au lit sans
génuflexion devant l'abysse des démons. Ah ! leurres infan-
tiles ! Contes de fées et balivernes !

Après des années de quotidiens échecs, je me suis finalement avouée perverse. Dérangée. Détraquée. Impure. Je ne priais plus. Je n'implorais plus, bien que je n'aie eu de cesse de souhaiter toujours aussi ardemment la délivrance. Qu'avaient valu toutes ces mains jointes, ces genoux écorchés, ces stigmates d'ongles sur la peau ?

À ma secrète dépravation allait se greffer une plus odieuse profanation : la sève adolescente commençait à baigner les veines des garçons pour qui mon cœur battait la chamade. Une sève qui plantait le désir dans leurs mains, leur bouche, leur sexe. J'ai tant lutté contre leur printemps ! Je l'ai tant maudit. Du fond de mon hiver aride de sève, sec de coulée, j'ai tant rêvé d'un amour éthéré avec au tableau un seul petit écart de conduite : cinq secondes de perdition, le soir venu, dans le secret de l'alcôve et de mes cuisses, à l'abri de tout regard réprobateur, exception faite de l'œil divin, qui déjà me punissait bien.

Leurs mains s'agitaient sous mon chandail comme poisson qui tente de remonter le courant d'une chute. Elles ahanaient. Mes bras s'érigeaient en barrage en serrant mes côtes pour ne pas laisser glisser la main vorace, qui allait, gloutonne et insatiable, dévorer mon sein naissant. Chaque centimètre gagné l'était à jamais. Petite fleur salie avant sa floraison.

Chaque rencontre était un duel. L'enjeu en était ma vertu. Après des semaines, des mois d'entêtement, d'acharnement, le barrage avait totalement cédé, me laissant triste, déçue et honteuse devant la caresse. Petit chaperon rouge croqué vif.

Ils sont allés, glorieux guerriers, jusqu'à ma source. Tarie. Parce qu'angoissée par la honte et le Grand Interdit. Ô malheur ! j'étais devenue putain. Les doigts étaient entrés, s'étaient attardés. Bientôt la bouche allait venir s'y appuyer ; la langue, s'y délier. Ah ! que ne me délivrerait-on de leur désir !

Et ma main, tant et encore si vierge, qu'ils prenaient pour l'amener à leur sexe tendu. Ma main entourant ce bâton de désir. Leur main sur ma main me montrant comment retirer la goupille.

Ma main. Sale désormais. Sale à tout jamais. Jamais plus pure. Ni mon sein. Et cet antre, inconnu de moi encore hier, allait devenir une nouvelle caverne, un nouveau repaire de saletés. Qu'avais-je encore de reliefs creux, de replis sournois où pourrait se loger le mal et y fleurir à foison ?

Plus qu'un seul désir : éteindre le leur. Pieuvres salaces et obsédées.

Quelle mauvaise plaisanterie, l'amour ! Pour pouvoir lui tenir la main, inventer l'amour au fond de ses yeux ou dans une parole, il fallait écarter grandes les cuisses, ouvrir larges les bras, aller et venir avec ma main.

Allait-il enfin descendre au quai, celui qui trouverait attirante ma croupe et délicieux mon galbe tout en restant de glace, contemplatif ? Ébloui et fasciné devant l'art. Tableau intouchable. Statue de marbre.

Puis, les autres parlèrent, racontèrent. Quoi ? Elles aussi ? Les mêmes jeux ? Ou nous étions toutes impures et condamnées, ou j'avais été la seule à être bernée. J'aurais pu, comme elles, prendre du plaisir, me gorger de désir, au lieu de honte et de remords ? Gâchis.

À leur exemple, j'allais maintenant ouvrir mes cuisses et les refermer gourmandes sur leur tête prisonnière de mon désir. Mécanique, cependant. Le désir appris dans la tête. Né dans la tête. Contrôlé dans la tête. Le désir conçu comme obligation. Le désir sans véritable abandon.

La prude allait, à certaines heures, prendre des allures d'extravertie. Dorénavant elle jouerait les expertes devant le déluré, et se ferait réservée et sans science devant le timoré. Caméléon des jeux de la nuit.

L'écluse s'ouvrait par à-coups, laissant défiler sur l'onde d'anciens et de nouveaux fantasmes, mais le Grand Interdit continuait toutefois de les tenir bien en laisse. La sainte-nitouche veillait en potentat la putain mise au cachot.

Allait-il un jour descendre au quai, celui qui, comme

Aladin, allait faire jaillir tous ces fantasmes comme le génie de la lampe? Allait-on me faire enfin putain? Et sans remords, surtout? Allait-on enfin me prendre en folle chevauchée sur mon désir? Le vrai. Celui de mes premiers plaisirs d'enfant. Celui de mes cuisses qui mène à l'antre magique et mystérieux. Viendrait-il, ce preux chevalier, tueur de cerbères? Celui qui mettrait à mort le Grand Interdit? Viendrait-il, celui qui me dirait le désir hors de ma tête? Viendrait-il, celui qui m'enseignerait les joies et les délices des plus perverses oaristys?

Chapitre 2

Encore personne dans le bar. Il y aura pourtant foule ce soir. Ça se sent. La soirée est belle, fraîche et embaumante. Dès après le coucher du soleil, ils vont entrer en troupes. Petits soldats de la fonction publique, demoiselles et damoiseaux des magasins auxquels se mêleront quelques «meubles», et les déserteurs de catégories qui affichent fiers le culte du laisser-aller. Même la nuit ne réussira pas à les confondre. Ils resteront distincts dans la fumée, même après l'alcool et le haschisch. Et j'aurai pour chacun le sourire approprié. Arrogante et fière devant l'un, intrigante pour l'autre, réservée et timide face au troisième. Et je ferai mouche à tous coups : le pourboire sera généreux.

J'ai remonté mes cheveux et les ai rejetés sur le côté, en queue de renarde. J'aime la dissymétrie. Ma nuque est dégagée. J'y laisse traîner quelques mèches dans un jeu savamment étudié. J'aime exposer ma nuque aux regards. Offerte. Envoûtante. J'aime séduire par-derrière. Faire naître le désir sans savoir. Sachant, mais ne sachant pas. J'aime ma nuque donnée en pâture à leurs envies. Nuque offerte. Berceau des fantasmes.

Pour qui et quand viendra-t-il, ce moment où se recouvre la nuque alors que se découvre le sein ? Ce moment où se défait la chevelure qui, sauvage et rebelle, va voguer au creux des reins, s'aventure dans une langoureuse ascension pour ensuite tomber en cascade sur les cuisses avant que d'atteindre, au détour, le sexe dressé.

De bêtes et terre à terre considérations me ravissent à mes fantasmes : j'ai les jambes en bouillie. Quatre soirs d'affilée sur le plancher, c'est trop pour mes pieds. Je dois bien me taper une dizaine de kilomètres par soir dans ce bar. Décidément, les vacances scolaires, ce n'est jamais de la tarte. Pourtant, j'oublie chaque année. Je retiens uniquement que c'est fichtrement payant.

Qui était-ce, cet homme, hier soir ? Il n'était jamais venu ici. Du moins pas cet été encore. Il avait le regard étrange. Étrangement dérangeant. Il n'a pas dansé. Il n'a, il me semble, parlé à personne. Il avait le pourboire généreux plus que de raison. Peut-être pensait-il ainsi s'assurer mes sourires.

S'il revient ce soir, je lui parlerai. Je lui dirai, pour ses yeux. S'il me relance vulgairement, je saurai. Sinon, je lui paie le grand cognac. Toute la soirée. Il m'intrigue trop. C'est la première fois depuis que je travaille ici que je ramène, au petit matin en terminant, quelqu'un dans ma tête.

Merde de merdouille ! Je me reconnais bien. Me voilà déjà entichée d'une ombre. Incorrigible. Irrécupérable. Je le sens bien, je ne suis plus qu'à quelques pas de souris de ce haut de précipice duquel on tombe en pâmoison. Ce n'est pas la cuisse que j'ai légère, moi, c'est le cœur !

J'ai envie de jouer avec lui. S'il est bon joueur seulement. J'aurais envie de jouer aux inconnus. Jouer à se courtiser sans se découvrir. Jouer à se « mystérieuriser ».

Bon sang de bon sang ! Le voilà. Défense de reculer, très chère. Chose promise, chose due. Mais après tout, ce n'est qu'à moi que j'ai promis. Et puis ce n'était même pas une promesse. Je divaguais, je rêvassais tout bonnement. Tu te défiles, ma vieille, tu te défiles.

— Je vous sers la même chose qu'hier ?

— Je ne me rappelle plus ce que j'ai bu, hier.

— Alors, j'improviserai…

Je suis sûre qu'il se rappelait. Pourtant, il n'a tellement pas l'air de mentir. Il a le regard étrange. Étrangement dérangeant.

— Voilà votre cognac.

— Du cognac? J'ai bu du cognac, hier?

— Vous en doutez?

— Pourquoi tu me vouvoies?

— À cause de vos yeux.

— C'est combien?

— C'est rien.

— Pourquoi?

Ouf! La mise au jeu est faite. Je crois avoir réussi à l'intriguer un peu. Tout ce monde, cette marée ce soir. Je ne pourrai lui parler comme je le souhaiterais, mais, en revanche, les poussées de la cohue vont me permettre, comme il y a un instant, de m'esquiver en douce quand la conversation se corsera.

*   *   *

— Encore du cognac! Mais je n'ai rien commandé.

— On ne commande pas toujours ce qui nous arrive…

Rétif. J'aime sa voix. Et sa main. Grande. Peut-être gourmande. Ses doigts allongés. Au prochain verre, il faudra que je lance. S'il réagit sans subtilité, j'arrête le jeu. J'espère seulement que je ne suis pas allée trop loin et qu'en me retirant, je ne m'attirerai pas des ennuis.

*   *   *

— Avez-vous déjà fait l'amour sous Véga?

— Pardon?

— Avez-vous déjà fait l'amour sous Véga?

— Tu me demandes si j'ai déjà fait l'amour sous Véga?

— Oui. N'avez-vous jamais fait l'amour sous Véga?

— Si! De lyre et de délire…

— Eh! Fine repartie! J'applaudis.

19

— Et toi, tu la connais bien, Véga ?

— Peu encore… malheureusement.

— Qui t'a parlé de cette étoile ?

— Un vieil astronome.

— Il y a des astronomes dans ce coin perdu ?

— Ce sont justement les coins perdus qui offrent l'obscurité nécessaire pour voir la lumière de la nuit.

— Tu travailles toujours avec ta lunette d'astronome ?

— Non. Seulement quand il y a des lueurs étranges dans mon bar de coin perdu.

— Qui me paie tous ces verres ?

— Quelle importance ? L'alcool aura le même goût.

— Non, justement.

Il a l'esprit vif et alerte ! Ouf ! Et il sait ce qu'est Véga. Voilà qui est un bon départ. J'exècre ceux qui ne savent indigemment rien des lumières veilleuses de nuit.

Il ne parle encore à personne. Il est si intense dans cette foule. Et pourtant si absent. Et ce regard. Attirant et inquiétant. Je joue peut-être avec le feu. Prends garde, ma belle. Prends garde.

— C'est pour Véga, tout ce cognac ? Tu vas m'en apporter encore combien ?

— Tant que vous serez là.

— Et quand dois-je partir ?

— Avant le dernier service.

— Ce n'est donc pas pour nous et pour l'amour sous Véga, tout ce cognac ?

— Non. Seulement pour Véga.

— Et si je revenais demain ?

— Quoi, demain ?

— Il y aura encore du cognac ?

— Qui peut savoir ?

Deux heures quarante-cinq. Il prend sa veste. Prends garde, ma belle, car il joue bien. Il respecte scrupuleusement les règles. Ça pourrait te séduire.

Chapitre 3

Je n'irai pas. Je n'irai pas ce soir. J'ai déjà passé quatre longues soirées en ligne dans ce bar enfumé, c'est bien suffisant. D'autant que j'y travaille encore demain. Je ne suis pas pour gaspiller mon seul soir de congé à traîner dans ce bar.

Mais s'il n'était que de passage dans ce bled perdu et que ce soir était son dernier soir ? Hier, il a demandé ce qui arriverait s'il revenait ce soir. C'est donc qu'il avait certainement l'intention de revenir. Mais je n'irai pas. Je ne dois pas y aller.

J'aurais envie de dire « tant pis », mais ça me fait un tiraillement en dedans. Si j'écoutais ma propension à l'exagération, je dirais même que c'est un déchirement.

Je n'arrive jamais très bien à démêler ce qui est du ressort de la « destinée » et ce qui est du mien seul. Je ne sais pas comment se fait le partage entre les deux ni même s'il y en a un. Quel pouvoir ai-je de passer à côté de ce qui me serait heureux, de ce qui m'est destiné, de ce qui m'est écrit ? Je ne sais pas si mes choix influent sur ma trajectoire ou s'ils sont ma trajectoire. Le choix n'est peut-être en fait qu'illusion devant l'inéluctable.

Tu triches et tu dérapes, ma belle. Je sais. Je m'étais pourtant bien juré : plus d'histoires de destinée, plus d'histoires de superstition. Jamais plus de chimères, de sornettes du genre. Si je ne me corrige, si je ne me guéris de cette manie, Platon va *se virer* dans sa tombe et, du coup, *me faire virer* de l'Académie. Si je veux être un tant soit peu conséquente avec moi-même, je ne me dois plus qu'à une seule et unique foi. Mais dans les rayons du Parthénon de mes mentors, les écrits sont fort peu loquaces sur la question qui m'obsède. Seule résonance qui se fait entendre toujours : ce *Que faire?* de ce bon vieux Lénine. Et j'y réponds tout de go : «Camarade, aussi fiévreuse de désir sois-tu, tu n'iras pas au bar ce soir. *Alea jacta est.*»

J'y serai tout de même. En pensée. En rêverie. Indomptable. Que n'ai-je plutôt entrepris des études en scénarisation... je ferais fortune à l'heure qu'il est!

Mais il me revient, de loin, en sursaut de mémoire, comme pour m'absoudre, cette sentence d'Aristote : «La nature du désir est d'être infini, et c'est à le combler que la plupart des gens passent leur vie.»

Chapitre 4

— J'ai un message pour toi. C'est un gars qui a laissé ça hier soir. Tiens.

— Vers quelle heure?

— Environ minuit. Il m'a seulement dit : « Tu donneras ça à la fille qui travaillait sur le plancher hier soir. »

« Le cognac n'avait pas le même goût... ni les constellations, les mêmes formes... »

— Tu lui as servi quelque chose?

— Des doubles cognacs.

— « Des » cognacs? Avec un gros « pluriel » ?

— Plutôt, oui. Disons qu'il avait le coude léger. Il a été presque mon seul client. C'était tellement désert hier soir. Je ne comprends pas pourquoi le patron s'obstine à garder la boîte ouverte le dimanche. En passant, il avait l'air un peu bizarre, ton bonhomme.

— Bizarre comment?

— Il s'est assis au bar. J'ai essayé de lui faire la conversation, mais rien. Une carpe. Je lui ai demandé s'il venait de s'installer dans la région, il a répondu qu'il ne s'installait jamais nulle part. Je lui ai alors demandé ce qu'il faisait par ici, il a dit qu'il était venu pour observer une étoile. Je peux te dire qu'il ne l'a pas observée très fort, il est resté

23

au bar à cuver ses doubles jusqu'à la fermeture. Mais, dis-moi, qu'est-ce qu'il t'a écrit sur le bout de papier?

— Son signe du zodiaque!

— Bon, bon, bon, j'ai compris, je me mêle de mes affaires.

Étrange. Étrangement dérangeant. Que faire à présent? Vivre sur des points de suspension jusqu'à ce qu'il se repointe le nez? De toute façon, ai-je le choix? Je suis entrée téméraire et inconséquente dans l'antichambre du désir et de l'amour. Amnésique. J'ai oublié que cette porte se referme par-derrière. Prise au piège. À mon propre piège. Le verrou claque sur ma liberté de pensée. Mon esprit est possédé par une image, et cette image dépossède mon esprit. Je désire son regard.

Je sais que la soirée se passera en état d'attente active. Ce soir, dans mes sempiternelles rondes autour du bar, je sentirai la lente ronde des aiguilles de l'horloge. Ce soir, je serai le temps.

* * *

Délivrance! Enfin, le revoilà! Délivrée, ma belle? Tu crois? Non. Encore plus captive qu'avant.

— Bonsoir!

— Véga te ressemble.

— Je le sais. Proche et lointaine tout à la fois, me dit-on souvent.

— Mais aussi lumineuse.

— Vous commencez à apprécier les vertus des coins perdus?

— À quelle heure dois-je partir ce soir?

— Ce soir, vous ne partez pas.

Le voilà franchi, mon Rubicon! Le bal est ouvert. Le vin sera enivrant, et la valse, étourdissante. Allez, ma belle! fonce maintenant. La vie se laissera croquer. Un peu. Quelques instants. Croque. Puis elle te croquera.

Mais je l'aurai croquée. Au moins une fois.

— J'ai terminé mon service.

— Mais il reste encore des clients…

— Ça va. J'ai un collègue coopérant et compréhensif. Il me donne sa bénédiction; je peux partir.

La nuit est caressante. La première bouffée d'air pur au sortir de cette boîte enfumée m'est presque étourdissante. Léger vertige. L'air est chaud à mon poumon.

— Tu n'as pas attaché tes cheveux ce soir?

— Je n'en avais pas besoin.

— Qu'est-ce que tu veux dire, «tu n'en avais pas besoin»? C'était pourtant particulièrement chaud et étouffant dans le bar.

— C'est quand c'est glacial que je les remonte. Ce soir, c'était torride.

— Même dans ton discours, tu ressembles à Véga: proche et lointaine tout à la fois, comme tu le disais plus tôt ce soir. C'est vraiment un vieil astronome qui t'a parlé de Véga?

— Oui. Lui et les livres. Et le ciel un peu. Et vous?

— Ce sera toujours «vous»?

— Non.

— Alors quand vas-tu cesser de me vouvoyer?

— Quand le temps sera venu.

— Est-ce le temps qui vient ou nous qui allons?

— Oh! On philosophe à la gomme! Moi, le temps, je le prends à contretemps. J'aime les choses à contretemps. La musique à contretemps. Et j'aime la nuit parce qu'on y vit à contre-jour. Et j'ai envie de marcher cette nuit à contre-jour avec vous.

— Et au matin?

— J'irai dormir.

— Et d'ici là?

Il me faut un peu de répit. J'avance trop vite. Il nous faut un peu de silence. J'en laisse glisser entre nous. À peine. Toute juste le temps de créer l'espace d'où on peut reprendre son élan.

Nous approchons du parc par l'enveloppant boulevard qui borde la rivière. Les arbres vont bientôt rendre plus timide l'éclat des lampadaires. La nuit encore plus tamisée va-t-elle me donner le courage, l'audace de mon fantasme ? Avec au cœur le vertige de celui qui, sur un pont, se penche, par-dessus le parapet, au-dessus du visage de la mort, je me lance.

— D'ici là, vous me raconterez des jeux de l'amour.

— Comme ça ? Tout bonnement ?

— Non. Pas tout « bonnement »... disons plutôt tout « mal...ement » !

— Et si je n'en ai pas envie ?

— Dommage.

Je crois, ma belle, que c'est trop d'audace pour une première rencontre. Il n'est peut-être pas du tout comme tu l'imaginais, comme tu le rêvais. Tu t'es si souvent trompée dans ta vie !

— Et si on inversait ton petit jeu. Si je voulais que ce soit toi qui racontes ?

— Alors je vous raconterais. Je vous raconterais une histoire. Je vous raconterais mon envie du moment. Mon envie de tout de suite. Mais il faudrait que vous promettiez de garder les yeux fermés.

Docile, il s'adosse à un arbre. Ferme les yeux. Il affiche un front serein.

— Je ferais apparaître une caravane de gitans. Avec des femmes à la peau hâlée, à la hanche ronde, souple et dansante, au sein joyeux. Avec des hommes au geste viril, au talon martelant et à l'œil obsédé. Ils joueraient des musiques à contretemps qui endiablent la croupe. Vous vous assoiriez près du feu. Et je danserais pour vous. Ventre à la nuit, bras à l'étreinte, cuisse à l'amour. Parfois, j'approcherais mes lèvres des vôtres. Et je m'échapperais aussitôt. J'approcherais mon sein de votre bouche. Et je la fuirais juste avant l'effleurement. Parfois, j'amènerais ma main à votre sexe. Et puis la caravane disparaîtrait, ne nous laissant qu'un lointain écho de ses chants et de sa folie. Et j'ouvrirais votre pantalon. Y découvrirais votre sexe tendu. Gorgé. Mes doigts effleureraient à peine sa peau. J'approcherais ma bouche pour l'envelopper de la chaleur de mon souffle. Puis je refermerais les lèvres sur lui. Immobiles. Et ma langue danserait sur son extrémité. Ma bouche se ferait soudain gourmande. Prise d'une folle envie de vous boire. De m'abreuver de votre désir. Je deviendrais humide à vous entendre râler. Je baladerais mes mains sur l'intérieur de vos cuisses et jusqu'à la base de votre sexe. Je jouerais de mes ongles sur vos testicules en poussant votre sexe jusqu'à ma gorge. Et votre cri deviendrait source. Et ma gorge, ruisseau. Et vous fermeriez les yeux. Pour me voir encore danser.

Ses mains se sont crispées sur l'écorce de l'arbre. Son front et son sourcil sont maintenant plissés de tourments. De tourments de désirs.

— Tu les inventes toujours aussi facilement, tes histoires ? On aurait dit que tu lisais dans un livre.

— Je ne les invente pas comme ça, instantanément. Je raconte seulement. Il y a déjà longtemps que je les ai inventées. Il y a aussi longtemps que je les raconte. Je pourrais même dire que celle-ci, je la radote plus que je ne la raconte. Mais, à voix haute, c'est la première fois que je la raconte. Il y a des siècles qu'elles existent, mes histoires, dans mon corps. J'appelle ça faire l'amour oral. Quand j'étais petite, je croyais que faire l'amour oral, ça voulait dire « parler d'amour ».

— C'est à ce moment-là que tu as commencé à inventer tes histoires ?

— Peut-être. Je priais le Ciel pour que le petit voisin me fasse l'amour oral. Je souhaitais qu'il me dise qu'il était amoureux de moi !

— Et tu pries encore ?

— J'ai un problème de foi. Je n'arrive pas à me forger un Dieu convenable. Je lutte encore parfois contre le vieux Dieu qu'on m'a donné.

— Dieu de colère et Dieu vengeur ?

— Oui. Le grand Dieu de la punition. De la culpabilité. Le grand Dieu de la chrétienté. Il m'arrive de croire que j'ai réussi à le chasser, mais lorsque je veux prier, implorer, je ne sais plus à qui m'adresser, à quelle forme, quel esprit. Je ne vois que le Dieu vengeur, alors je laisse tomber. Quand la détresse s'atténue, je reviens à la raison, et je me convaincs que c'est affaire de superstition. Alors, je débranche complètement.

— L'envie de prier te vient souvent?

— Dans la détresse. Mais je n'arrive pas à me sentir graine ou semence de divinité. Souvent, je me sens sans gravité aucune. Il m'arrive aussi d'avoir envie de croire quand je me retrouve devant une image, une photo des systèmes solaires. J'éprouve alors un profond vertige spirituel. Ne riez pas. C'est vrai. Il y a un trouble tellement intense en dedans que je dois cesser de regarder. Être sans gravité devant une telle image, c'est éprouvant. Désespérant.

— Désespérant d'un désespoir qui donne envie de prier?

— Ne vous moquez pas.

— Je ne me moque jamais. Pour moi, la question de Dieu a toujours été trop grave pour que je m'en moque.

— Vous avez un problème de Dieu aussi?

— Non. Je l'ai résolu.

— Vous l'avez assassiné ou vous l'avez « réinventé », votre Dieu?

— Les deux.

— Alors, j'envie vos heures de détresse! Malheureusement, je sais qu'on ne peut demander la recette ou le mode d'emploi. Un Dieu, ça ne s'emprunte pas. Un Dieu, ce n'est pas collectif.

— Dis-moi franchement, tu ne fais pas que travailler dans ce bar-discothèque, hein?

— Aimez-vous les dessous?

— Je t'ai posé une question.

— Moi aussi.

— Pas très subtile, ta façon d'éluder.

— Je fais ce que je peux.

— Je répète ma question. Qu'est-ce que tu fais dans la vie, à part travailler dans ce bar?

— J'esquive derechef.

— Ouais, ouais… tout le vocabulaire d'une fille de bar, hein? «J'esquive derechef»!

— Tiens, tiens! On se ferait méprisant, maintenant?

— Non, pas du tout. Mais tu sais très bien que les gens de bar ne parlent pas comme ça.

— Ils sont plus nombreux que vous ne le croyez à parler comme ça. C'est que c'est peut-être la première fois que vous prêtez l'oreille.

— Peut-être. J'accorde le bénéfice du doute. Mais je maintiens que tu es d'ailleurs.

— Je suis plus que d'«ailleurs», je suis de «nulle part». Alors maintenant vous savez tout.

— C'est bien peu pour un «tout».

— C'est la réalité qui est bien peu. L'opulence est dans l'imaginaire, dans le rêve. Il importe peu de vivre *peu* si on sait rêver *beaucoup*. Mais il ne faut pas traquer le rêve, sinon on risque de le tuer.

— J'ai compris. Tu veux me dire que mes questions t'empoisonnent?

— Pas moi, mais ma rêverie. Ça empoisonne ma rêverie.

— Alors, je me tais.

— Non, il faut que vous répondiez à ma question. Aimez-vous les dessous?

— Beaucoup.

— Quelles couleurs vous plaisent le plus?

— Le noir. Aussi le rouge. Le mystère. La nuit. Et le feu. La passion.

— En dentelle?

— Et en cuir.

— Fermez les yeux. Donnez-moi vos mains. Voilà. En glissant une main sur ma robe, vous allez essayer de deviner ce que je cache dessous. Mais c'est moi qui guiderai votre main.

— J'ai une question.

— Encore ?

— Ce n'est pas une question assassine, cette fois. Tu te sens en sécurité avec moi, ici ? Tu ne me connais pas. Il n'y a personne dans le parc… en plein cœur de la nuit.

— Il y a parfois un monde entre se sentir et être. Je peux me sentir en sécurité alors qu'en fait, je cours tous les périls. Et le contraire est tout aussi vrai. Devant la dualité, mes émotions s'annulent. Et je me dis que la nuit ne dévoile jamais ses mystères à celui qui la fuit. Que ce soit dans le sommeil ou dans la peur. Refermez les yeux.

Ses mains sont fraîches. Je les porte à ma bouche. Je me caresse les joues de leur revers. On dirait que ses mains tremblent. Comme semble parfois trembler mon sein sous la caresse. Je love ses mains dans mon cou, et remonte les épaules pour les étreindre. Ses mains enveloppent mon cou. J'avance sa main droite sur ma gorge. Les doigts vers le ciel. Je la glisse sur ma poitrine. Lentement. Dégustant. La main gauche reste immobile sur la nuque. J'arrête l'autre main entre mes seins. Puis lui fais reprendre sa course de tortue vers mon ventre. Mon sexe. Changement de cap. Elle contourne le récif de mes hanches. S'étend sur ma fesse. Presse ma taille. Avale mon sein. Puis je renvoie sa main au bercail : dans mon cou. Son souffle a changé.

— Puis, vous avez deviné ?

— Dentelle, guêpière, jarretelle, culotte de soie. Que tu es belle ! Raconte-moi une autre histoire. Je garde les yeux fermés.

La nuit commence à dégager un parfum comme jamais elle n'en a exhalé. Je cours peut-être tous les dangers, mais le désir entre mes cuisses n'a plus qu'un seul mode de conjugaison : la témérité. La témérité à l'extrême.

— C'est dans une discothèque enfumée. Le rhum m'a grisé la tête et enflammé la cuisse. Vous apparaissez dans l'embrasure de la porte. Vous m'apercevez. Vous vous accoudez au bar. Mes yeux ne vous quittent pas. Des gens me parlent. Je leur réponds. Je souris. Je ris. Tout en vous regardant. Vous laissez votre regard sur moi. J'ai une robe noire. Moulante. Elle s'arrête en haut du genou. Elle laisse le dos nu jusqu'au creux qui annonce la rondeur de la fesse. La robe, bifide sur les côtés. J'ai des escarpins. Des gants qui recouvrent l'avant-bras. J'ai mis une goutte de parfum au repli des bras, là où les gants s'arrêtent. Ma nuque est dégagée. Mes cheveux sont remontés, mais retombent fauves sur le côté. J'ai envie de danser avec vous. Mon sein se balance léger sous ma robe. Ma cuisse entre côté cour pendant que l'autre disparaît côté jardin. Danse théâtrale pour unique spectateur. Tout danse. Mes jambes. Mes bras. Mes épaules. Ma tête. Mes hanches. Mes cheveux. Mon sang. Mon désir. Ma folie. Et ces spasmes que je crée dans l'antre pour le soumettre, lui aussi, au rythme. *L.A. Woman*. The Doors. Je deviens cette musique. Je ne vous vois plus. Mais je sens vos regards. Intenses. Votre regard m'excite. Je me sens puissante. Capable d'allumer tous les feux en vous. De vous incendier jusqu'à plus cendre. La musique se tait. Je ne suis plus que désir. Que chair. L'eau ruisselle de ma nuque à ma fesse. Vos yeux sont de feu. Coruscants. Comme j'ai voulu les créer. Je marche vers vous. M'arrête à quelques pas. Mes yeux vous racontent mon trouble et soutiennent le vôtre. Je me dirige vers les toilettes. Vous m'y suivez. Je m'adosse au mur. La porte se referme. Le verrou se tire. J'entends le bruit métallique de votre ceinture qui se défait. Je suis en nage. Puis le bruit d'une fermeture éclair. Vous troussez ma robe. Ma fesse est nue. Moite. Vous prenez mes mains, les remontez au-dessus de ma tête. D'une main, vous enserrez mes poignets. Menottée de votre seule main. D'une jambe, vous écartez les miennes. À coups violents, votre sexe cherche son chemin. Sans délicatesse. Ma source le fait dévier de sa cible. Il bute sur toutes les parois. Je bouge mes hanches pour le guider. Je veux m'enferrer. Nos mouvements ne sont pas à l'unisson. Seul à l'orchestre, votre sexe est seul. Il cherche seul. S'aveugle seul. Là. Oui. Là. Là. Oui. Oui. Il défonce. Enfonce. Transpercée. Empalée. Les coups de votre bassin me soulèvent. Votre main gauche s'accroche à ma taille. L'empoigne. Vos doigts, vos ongles déchirent ma peau. La raclent jusqu'à mes fesses. Les pétrissent. Les arrachent. Je sens votre sexe se durcir davantage. Je vous sens près de mourir. D'occire votre désir. Votre souffle, votre râle, comme trompette de cavalerie, déchire mon tympan. Je tiens au mur par les seuls clous de votre délire. Obusier mis à feu… La pointe de mon pied touche finalement le sol. Vous vous retirez. Rustre. Vous vous plaquez contre le mur à côté de moi. Sans plus me toucher. Ni me regarder. Hors d'haleine. Le cheveu mouillé. Le front perlé. D'un geste brusque, vous refermez votre pantalon. Votre ceinture se boucle. Vous me tournez le dos. Muet, vous marchez vers la porte. Voyou, vous disparaissez derrière. Ma chair est meurtrie. Je sens encore vos ongles sur ma peau. Cicatrices passagères sur la croupe. Votre désir commence à sillonner en petits canaux le duvet de mes cuisses. Jusqu'à mes jambes. Je prends appui sur le lavabo. Tout mon poids sur mes mains. J'approche mon visage de la glace. Rouge. Tuméfié. L'eau coule froide sur mes mains. Mes poignets. Le regard au fond de la glace, je cherche mon mystère. Sans vouloir le trouver. Mes mains en coupe amènent l'eau à mon visage. J'éteins le feu. Je noie les traces du mystère. Je retourne au bar. Mes yeux scrutent la place. Chaque table. Chaque visage. Chaque ombre. Vous n'y êtes plus…

Je me tais. Il garde le silence et les yeux fermés. Je le vois tenter de décrisper ses mains de l'écorce de l'arbre. Il y parvient difficilement. Tout son corps est si tendu. Après de longues minutes à n'écouter que la nuit, comme revenant d'un lointain pays, il ouvre enfin les yeux.

32

— Tu aimes te faire prendre ?

— Je ne sais pas.

— Tu ne sais pas ? Comment peut-on ne pas savoir ?

— Je ne sais pas. Si je vous demandais si vous aimez les *chapati*, que répondriez-vous ?

— Je ne sais même pas ce qu'est un *chapati*.

— Voilà !

— Voilà quoi ? Tu veux me faire croire que tu n'as jamais fait l'amour ?

— Je n'ai pas dit cela.

— Alors ?

— On ne m'a jamais prise, voilà tout.

— Je ne comprends pas.

— Il y a une différence entre coucher avec un homme, baiser avec un homme, faire l'amour avec un homme, et se faire prendre par un homme. La différence est dans la main. Dans la poigne. Dans le regard surtout. Dans les mots. Dans le coup du bassin, aussi. Dans l'initiative.

— Comme l'arsouille de ton histoire ?

— Oui. Lui, il prend. Il ne donne pas. Il n'a que faire de la fragilité des femmes, sinon que de s'en exciter. Vous voyez, les « nouveaux hommes » anesthésiés au féminisme ont tué l'homme en eux. L'amour ne doit pas être toujours tendre. Il doit respirer à parts égales *et* de la femme *et* de l'homme. Être parfois l'un, parfois l'autre, et parfois les deux tout à la fois. Il doit pouvoir être fragile comme la rose, mais également, par moments, être aussi violent que le rouge qui la colore. L'amour doit être *toute* la fleur. Pas seulement sa partie tendre. La main doit avoir assez d'audace pour saigner sur l'épine. Après, on porte la fleur à son nez et, là, on s'enivre de son parfum. Aucun homme ne m'a encore prise. Je ne souhaite pas être toujours « prise », car j'ai trop besoin qu'on me fasse l'amour. Mais j'aimerais être prise au moins une fois. Prise dans le désir d'un autre. Totalement perdue dans le désir d'un autre.

— Et tu crois que moi, je pourrais te prendre ?

— Je le jurerais.

— Pourquoi cette certitude ?

— À cause de mon frisson.

— Ça peut mentir, un frisson, non ? Je suis peut-être un de ces hommes « anesthésiés au féminisme ». Regarde, je ne t'ai même pas touchée pendant que tu me racontais ton histoire lubrique. Ce n'est pas très « viril », non ?

— Ça n'a rien à voir. Je sais que vous sauriez me prendre. C'est tout.

— Comment le sais-tu ?

— Il faut que je m'en aille.

— Eh ! Non...

Le soleil s'apprête à sortir des langes de l'horizon. Il va bientôt commencer son ascension. Et les ombres des arbres vont bientôt s'étirer. Je dois partir. J'ai peur que l'aube n'ait trop de questions pour nous. Pourquoi tant de questions ? Est-ce que je ne sais pas déjà l'essentiel ? Je dois partir. Je cours, comme poursuivie. Comme traquée. Les escarpins dans une main. La jupe relevée, retenue dans l'autre. Le soleil chasse les mystères. Je ne vais pas sacrifier les mystères de cette promenade au fond de la nuit sur le bûcher de ses rayons. Cette première promenade de ma vie au fond de *ma* nuit. Toujours ce duel. Une fois vainqueur pour une fois vaincu. Je reviendrai. Quand les ténèbres redescendront dans l'arène du jour.

Je cours. Je cours. Le bas-ventre à feu et à sang. Saccagé par une nuit de fantasmes.

Chapitre 5

— Qu'est-ce que tu faisais avec Annie dans le salon ?

— Rien.

— Dis-le-moi. Qu'est-ce que vous faisiez allongées sur le divan ?

— Rien.

— J'exige que tu me le dises.

— J'ai rien fait. On ne faisait rien.

— Tu as les joues rouges.

— J'ai rien fait, que je te dis.

Toujours la grande inquisition. C'était mal. Je le savais et je le sais. Je le sens. Son ton de voix me le dit. Mais pourquoi alors était-ce si bon ? Annie avait glissé sa main dans ma culotte. C'était tellement rare qu'elle fasse cela. Moi, j'aurais aimé que ce soit plus souvent. C'est comme pour le hangar. Comme j'aurais aimé qu'on y aille plus souvent ! Mais je ne voulais plus y aller. Je ne pouvais plus. Mon frère savait. Il nous avait surpris. Il nous avait vus par la petite fenêtre sale. Nos pantalons étaient descendus jusqu'aux genoux. L'avait-il dit à ma mère ? Quelle serait la punition ? Quel châtiment serait assez puissant pour racheter la gravité de ce péché ? Montrer ses fesses. Toucher le sexe de mon amie et celui de son petit frère, juste pour voir ce que ça fait. Quelle perversité ! Ma mère aurait-elle pu appeler tout de suite le Bon Dieu pour qu'il m'emmène en enfer ? Je suis sûre que oui. Elle le pouvait.

Elle, elle connaissait bien ce qui était mal. Et moi, je n'étais que mal.

Et ce voisin. Quatorze ans tout au plus. J'en avais cinq. Et puis six. Il m'emmenait dans son hangar. Il l'avait transformé en petite maisonnette de contes pour enfants. Mais moi, on ne me les racontait pas, ces histoires. J'avais, moi, pour féerie, toutes les histoires interdites. Celles pour lesquelles il faut constamment se repentir. Pour lesquelles même le repentir éternel restera insuffisant. La maisonnette de Jeannot était tout « électrique ». Je me souviens de ces rideaux qui s'ouvraient automatiquement lorsqu'on appuyait sur un bouton. Il me laissait jouer avec. Pendant ce temps, lui, il détachait le bouton de mon pantalon. Il fallait jurer. Jurer de ne rien dire. À personne. Personne. Et jamais.

Ton sentencieux. Mais même s'il n'avait requis ce pacte, jamais je ne l'aurais trahi. Car trahir aurait signifié confesser. Et la seule idée de la confession avait à ce point en elle-même l'odeur empoisonnée de la punition qu'elle me passait aussitôt.

Est-il allé jusqu'à pousser un doigt en un coin que je ne me connaissais pas encore ? Je ne sais pas. Ma mémoire n'a gardé que les rideaux et le bouton rouge. Je ne devais rien dire et je devais tout oublier dès la porte franchie. Sage, j'ai obéi. J'ai tout oublié. Sans tricher. J'ai tout oublié. Même l'émotion.

Et ces romans-photos à la gomme. Ils emplissaient une pleine tablette de la vieille armoire dans la chambre de ma sœur. En cachette, je lui en dérobais un. Quelques minutes. Parfois une heure entière. Que de trouble entre ces cuisses ! Ces interminables stations que je faisais sur une même image. Qui pourtant ne montrait rien, ou si peu. Si peu. Un homme qui avait à peine troussé une jupe. Une femme qui, tentant de séduire, laissait voir une bretelle de soutien-gorge. Ou une étreinte qui semblait s'éterniser. J'avais le dos paralysé de frissons. Mon œil ne pouvait s'arracher de l'image. Ah ! qu'il m'habitait, qu'il me hantait, le Mal ! Le

Grand Mal. Les oreilles aux aguets, je refermais la revue au son du premier pas dans l'escalier et je courais remettre ce vil objet de perversion dans la vieille armoire.

Mais le plus pervers de tous mes travers était ces orgasmes de terreur. Orgasmes de honte exacerbée. Je me souviens d'un de ces orgasmes. J'étais assise bien droite au fond de la classe, le ciel venait de se fissurer. Toute la fureur des enfers allait s'abattre sur moi. Ma colonne vertébrale devenait barre d'acier. Mes pieds se fondaient dans le sol. Et mes cuisses se serraient l'une contre l'autre, si fort, jusqu'à n'en plus laisser passer le sang. Il me fallait me concentrer. J'avais été prise en faute pour je ne sais quelle baliverne. J'étais fautive. Moi, la pure. Moi, la sans-tache. La sans-reproche. L'ange. Les mots crachés par la religieuse, comme lave en fusion, se dressaient devant moi comme autant de psychés. Je les voyais, ces monstres. J'étais ces monstres. L'autorité avait parlé. L'avait confirmé. Et plus la lave m'ensevelissait, plus la tension montait. Je serrais encore plus fort les cuisses. Bientôt j'allais être délivrée. Je serrais. Et serrais encore. Encore davantage. Et, aaaahhhh…

J'avais joui. Et fort. Devant la classe. Devant mon bourreau. Devant la religieuse. Devant cette professeure. Ma persécutrice. Personne n'avait rien su. Les rougeurs du plaisir sur les joues se confondant à celles de la honte d'être grondée. De tous les monstres que la sœur venait de faire défiler dans mon esprit, un seul allait s'imposer. Celui de la perversité. Honte d'être perverse.

Il ne me restait plus qu'une seule issue : sortir de ma sexualité. Non seulement sortir de ma sexualité, mais aussi, pour plus de sûreté, sortir la sexualité de mon corps. J'étais si sale. Sale de mal. Sale du Grand Mal.

Chapitre 6

Il n'a pas fait de geste vers moi. Que celui que j'avais
autorisé. Que celui que j'avais guidé. Que j'avais réclamé.
Il n'a pas cherché ma bouche. Ni quêté ma main. Malgré
toutes mes histoires lubriques. Malgré aussi cette saillie si
apparente dans son pantalon. Jamais il n'a mendié de soulagement. Pourtant, je la sentais, sa fureur. Je la palpais
dans l'air qui l'entourait. Il reste enchaîné aux chaînes que
je lui forge. Il reste enchaîné à ces chaînes parce qu'il les
sait de cartes. Comme ces châteaux. Je le sens se rire de
mon entêtement et de ma minutie d'araignée avec lesquels
je lui tisse quelques fils aux poignets. Il a compris que
c'est pour le jeu. Que cela est nécessaire au jeu. Et il joue
bien. Il joue à mettre de la rosée sur mes toiles. Pour les
« emperler ». Nous ne sommes tarentules que lorsque nous
tissons autour du cœur. L'ailleurs n'est pas malin. Ni mena-
çant. Et cela, il l'a compris.

Il fait penser à un cavalier du désert. Solitaire. Sous un
soleil de plomb. Jouissant de sa chaleur. Du silence. Du bleu
sans tache. De l'horizon. Des étoiles qui, bientôt, l'envelop-
peront dans un dôme au-dessus de sa tête. Des ciels blancs
de la nuit. La chevauchée de son désir semble le transporter dans des contrées par-delà les cieux et les enfers. La
contrée du désir pur.

Son œil jamais ne perd de son étrangeté. Étrangement
dérangeant. Mon trouble est intense.

Mais qu'arrivera-t-il maintenant? Je ne sais rien. Ni son nom. Ni lui, le mien. Ni s'il vit ici, dans cette ville. Ce lieu perdu, comme il dit.

Si je ne le revois pas, m'en ferai-je un obsédant fantôme? L'attendrai-je? Comme j'ai attendu tant d'hommes dans ma vie. Le rêverai-je? Comme j'ai rêvé trop d'hommes déjà.

Assurément, aujourd'hui, demain et après, je ne pourrai bouger. Paralysée. Je ne puis encore ni le fuir ni le chasser.

J'aime déjà, je crois.

Mais surtout, j'aime mon trouble. J'aime le trouble qu'il me crée. J'aime mon trouble aujourd'hui, car je peux le croire éternel. Quand les jours auront passé, je sais que je le maudirai, ce trouble. Ce trouble qui me rive tout entière au vent. Ce vent qui pourtant, hier soir, avait tous les effluves de ma délivrance…

Chapitre 7

Trois semaines. Tout près de trois semaines depuis cette fameuse nuit. Pourquoi n'avoir pas agi comme avant? Pourquoi n'avoir pas tout simplement couché avec lui et répondu à ses questions? En avoir posé? Pourquoi je ne nous ai pas permis de nous donner des points de repère? Un nom. Une adresse. Un numéro de téléphone. Une profession. Ne serait-ce qu'un nom de ville.

Araignée meurtrière, j'ai tissé une toile suicidaire. Toujours paralysée. Hier, ce matin, ce soir, et demain encore. J'attends. Je ne fais plus qu'attendre. Attendre avec impatience mes quarts de travail au bar. Une fois au boulot, j'attends qu'il vienne. Et je m'inonde d'espérances que je me refuse de croire vaines chaque fois que la porte s'ouvre. Il a trop touché de près à ma vie pour avoir le droit de disparaître aussi facilement. Il ne faut pas. Je ne veux pas. Ce n'étaient pas les règles du jeu.

Je n'ai plus de mobilité. Il n'y a plus que lui qui puisse bouger. Il n'y a que lui qui ait une clé. Il sait où et quand je travaille. Moi, je ne sais rien. Il peut revenir quand il le veut. Alors pourquoi ne revient-il pas?

Peut-être est-il marié? Peut-être aime-t-il déjà quelqu'un? A-t-il des enfants? Vit-il même dans ce pays? Qu'est-ce qu'il peut bien faire dans la vie? Tout au plus m'est-il permis de prétendre que c'est un intellectuel. Je ne sais rien, je n'ai rien, pas le moindre fétu auquel me raccrocher.

Je n'ai que l'espoir. Mais chaque jour qui passe le pâlit, cet espoir. Bientôt, il ne pourra plus exister. Alors, que me restera-t-il ?

Si j'avais questionné, serait-il là aujourd'hui ? A-t-il compris mon jeu ? A-t-il seulement su que je jouais ? Que je jouais à l'entrer dans ma vie pour ne plus pouvoir l'en sortir ? A-t-il seulement compris cela ?

Des tsunamis de questions s'abattent sur mon délire et cherchent à le noyer. À me noyer. Avec ou sans questions, peut-être est-on toujours le prisonnier de l'autre... Combien de temps encore l'attendrai-je ?

Je lui ai parlé de Véga. Peut-être s'amuse-t-il maintenant à me parler de Pénélope ?

Je voudrais quitter la ville. Quitter le bar. Me trouver en un lieu où il ne me saurait pas. Pour ainsi arrêter l'attente. La contraindre au silence. Un peu comme lorsqu'on débranche le téléphone : mieux vaut toujours ne pas savoir s'il a sonné que de savoir qu'il n'a pas sonné.

Je l'avais au ventre. Au bas-ventre. Je l'ai maintenant au cœur et à la tête, cet homme. Comme virus, il se répand et me dépossède.

Je ne laisse plus approcher les autres hommes. Je ne supporte plus qu'on me drague. Je rue. Je raille la galanterie. Brocarde le moindre petit égard.

La semaine dernière, tous les soirs au travail, j'ai laissé un cognac sur mon plateau. Au cas où... Trois heures venues, je le versais dans l'évier. Samedi soir, avant de quitter le bar, je me suis enfermée dans les toilettes. J'ai ouvert mon corsage. J'y ai laissé couler l'alcool. Les yeux fermés. J'ai rêvé qu'il le léchait. Je n'ai rien essuyé. Je suis partie. Je pleurais.

Chapitre 8

— C'est toi, la serveuse Véga?

— Véga? Euh... ouais, si on veut.

— Il y a un gars qui m'a dit de te donner cette enveloppe.

— Quand ça? Où ça?

— Ça fait deux minutes, en bas de l'escalier, juste comme j'entrais. Il était sur le trottoir. Il a dit: « Pourrais-tu remettre ça à la serveuse qui s'appelle Véga? Je sais qu'elle est déjà arrivée. » Puis il est parti.

— Je te remercie.

« À la prochaine pleine lune : jeudi soir, au bar Belé. J'aime le NOIR. »

Enfin! Enfin! L'air revient à mon poumon. Enfin délivrée! Mais non. Pas encore délivrée. Encore et encore mieux enchaînée. Trois jours. Ces trois jours d'attente seront peut-être plus pénibles que les trois dernières semaines.

Mais après? Après cette pleine lune?

Me revoilà partie par-delà les événements. Me voilà rendue bien loin de ce soir où je disais marcher à contre-temps. Le temps... J'ai bien tenté de le soudoyer, le temps, pour qu'il accélère sa course. Puis pour qu'il se retire de la piste l'instant que je le dépasse. En vain.

Qu'est-ce qu'il a fait à ma vie? Qu'a-t-il bien pu toucher pour m'atteindre presque jusqu'au délire? Mon désir, peut-être ? Il aura incarné mon désir ? Et si c'était cela ? Et si c'était mon désir, en serais-je éternellement la prisonnière ? Et quand il disparaît, quand il meurt, ce désir, meurt-on avec lui ? Ai-je seulement assez de forces pour supporter ce désir qui se berce en moi ?

Chapitre 9

Demain! Que vienne demain! L'attente est encore insupportable. Encore un jour. Ma culotte est mouillée en permanence depuis mon réveil. Je voudrais sortir de ma rêverie. Je ne cesse d'imaginer qu'il me prend. Qu'il va me prendre. Moi. Enfin! Totale. Entière. Que quelqu'un enfin saura me prendre. Que je vais m'engloutir, disparaître en mon désir. Et réapparaître dans le sien.

Je ne peux plus retenir ma main. Non. Je ne veux pas céder. Je veux garder cette tension intacte. Ne rien affaiblir. Pour que, lorsque je le verrai demain soir, tout le sang pompé au cœur ne jaillisse pas sous, mais sur ma peau. Comme écluses fracassées, rompues.

Mais ma main et mon sexe jouent de l'aimant. Mon sexe ruisselle. Il faudrait un godemiché pour servir d'estacade. Mon doigt s'aventure. Joue de rondes autour de mon clitoris gorgé. Et la caravane revient… Toujours cette caravane de gitans… Et ses danses. Et ses danseurs. Et ces corps de feu. La musique est toujours andalouse. De feu, comme ces corps. De feu, de claquements, de martèlements et de flammes vibrantes aveuglantes.

La flamme campe soudainement à gauche. Laissant apparaître mon inconnu. Assis par terre. La lumière du feu danse animale sur sa pupille. Ma robe de gitane dessine ma poitrine. Ma taille. Mes hanches. Elle vole en volants de dentelle dense jusqu'à mes chevilles. Mes mains paradent invitantes autour de mon corps. Comme volutes sensuelles. Racontant l'histoire de la musique. Mon pied martèle. Pour appeler. Un homme se lève. Il fonce dans mes yeux. Pour entrer dans ma danse. Son corps est droit. Souple et raide tout à la fois. Ses gestes, brusques et calculés. Son regard, incontournable. Son talon joue en écho du mien.

Je sais mon inconnu là, à nous regarder. À nous épier note à note. Il s'imprègne de notre danse. Je sens son œil saisir le rythme de mon corps. Je l'ensorcelle pour qu'il me piège. Le feu joue d'ombres en lumières sur ma peau en sueur. Sur sa pupille. Son iris. Je deviens ce feu. Le feu de son œil. Oui. Oui. Aaaaaaah…

Caravane et cortège andalous volatilisés, dissipés.

Pourquoi la caresse solitaire a-t-elle toujours par-devers elle tant de relents de tristesse, tant d'échos de solitude ? Si tant qu'elle annule presque le plaisir de l'extase qui vient d'être goûtée.

Chapitre 10

Vingt-trois heures trente. Cela fait déjà une heure et demie que je l'attends. Il ne semble pourtant pas le type à poser un lapin. Il viendra. J'en suis sûre. Il n'a pas fixé d'heure. Après tout, c'est jeudi jusqu'à minuit. Mais si je reste assise ici à surveiller cette porte, je vais devenir dingue avant même que minuit ne m'ait changée en citrouille. Je dois danser. Il faut que j'étourdisse mon attente. Que je la déboussole. Que je fasse danser dans la musique tout cet alcool qui irrigue mes veines.

M'y revoilà ! Je m'y retrouve ! Elle coule vivante en mon corps, cette musique. Me possède. Ma tête vacille sur son socle. Mes cheveux fouettent mon visage par à-coups. Mes bras miment les sons. Mes hanches les traduisent. Mon corps m'est orchestre.

Une main enserre mon bras. Me tire hors de la piste. La sueur embrouille mon œil. Je ne peux encore le voir, mais je sais que c'est lui. Il me traîne dehors. Il marche à grands pas pressés jusqu'à une voiture. J'ai peine à le suivre. Je manque trébucher. Il me retient ferme. Il ouvre la portière. Me pousse presque à l'intérieur. Contourne l'auto. S'y engouffre et démarre en trombe. Je dégage les mèches collées à mon front. Je le regarde. Son regard est plus dérangeant que jamais. Son regard se perd au-delà de la route. Je sais, je comprends que je ne dois pas parler. Le silence l'emmure. Mes pensées tournent à vide. Même pas une émotion. Tout semble en suspension. Même pas de place pour le doute. Ni la peur. Que suspension. Le temps se suspend aussi. Voudrais-je reculer ? Trop tard, ma belle, la voiture est engansée sur l'autoroute. Trop tard. Ses yeux fendent la nuit bien par-devant les phares de la voiture. Il voit déjà, lui, au bout de la nuit. Il voit déjà ma nuit.

J'ouvre la fenêtre. Offre ma tête à la rafale. Que l'ivresse du vent me soûle. Le temps reste encore suspendu. Depuis combien de minutes, d'heures roule-t-on ainsi ? La réponse est voilée dans la nuit. La course du temps paraît immobile.

Puis un son fracasse le silence, redonnant force au temps. Le son de sa ceinture. Il soulève son bassin. Se dégage un peu de son pantalon.

Sa main s'accroche à ma nuque et empoigne ma crigne. Il m'arrache à l'ivresse du vent. Amène ma tête à son sexe. Dressé. L'enfonce à ma bouche. Il contraint ma tête. Jusqu'à ce que son sexe frappe ma gorge. Le spasme le repousse. Il reprend ferme ma crinière entre ses doigts. Son sexe entre et sort de ma bouche. Sa main me relâche. Ma tête poursuit seule le mouvement. J'approche ma main. Empoigne ses testicules. Jouant de mes ongles délicatement. Son râle m'interdit de m'arrêter. Me quémande de m'entêter. De m'obstiner. Je m'étourdis au va-et-vient. Je romps la cadence. Brise la montée. Casse la trajectoire de son délire : je suce fort, mais sans plus de mouvement. Et nouvelle piste de déroute : je lèche. Sa main se rabat sur ma tête. Ses canaux se gonflent en fleuves sous mes lèvres. Son plaisir s'épanche dans un cri. Dans ma gorge.

Je me redresse. Livre de nouveau ma tête au vent. Un léger bruit de métal vient secouer un frisson à mon oreille. Sa ceinture s'est rebouclée. Puis le silence revient, puissant. Fourmillant du souvenir de ses râles. J'ai la poitrine ivre de désirs. Ce silence qui tonne et l'absence de ses gestes, d'un regard, enviolentent mon désir. Rien ne pourra jamais plus l'apaiser. Non. Pas rien. Sa force. Sa violence.

Qu'est-ce qui m'arrive ? Ça devient dangereux. Et je ne peux même pas me sauver. Clouée que je suis dans le désir. Je n'arrive même pas à m'apeurer, moi pourtant si peureuse.

Combien de temps avons-nous roulé sur cette route, sur ce silence et sur le désir ? Je ne sais. La voiture s'est arrêtée. La rue est passante. Les automobiles défilent à toute vitesse, jouant de défi avec les feux rouges. Le trottoir est encore encombré malgré l'heure tardive. De l'autre côté de la rue, une fille étale des fantasmes dans la vitrine de la nuit. Figée entre deux voitures en stationnement, elle tend son bras vers les autos qui passent. Le poing fermé. Plein de promesses. Le pouce dressé, dirigé vers le ciel. Vers le néant et les rumeurs d'un autre monde. Celui qui parade quelques secondes dans des costumes multicolores. Puis disparaît, ingrat.

Il éteint le moteur. Sort de la voiture. Sa portière claque. La mienne s'ouvre. Sa main empoigne mon bras, me tirant de mon siège. Davantage un ordre qu'une invitation. Mon pied sur escarpin n'arrive toujours pas à suivre son pas pressé. Un escalier. Et deux. La clé dans la serrure. Est-ce chez lui ? La porte s'ouvre sur un long corridor. Une odeur de musc dans l'appartement chatouille en spirale ma colonne, éclatant un frisson au creux du rein. Mon parfum. L'essence qui toujours me paralyse. Elle baigne son gîte. Hasard ? Préméditation ?

Il me traîne le long de ce corridor. Je n'offrirai aucune résistance. Que celle que commandera le jeu. Cette nuit, j'appartiens à la nuit. À sa nuit.

Deux cordes pendent du cadre de la porte séparant sa chambre du corridor. Il attache mon poignet droit. C'est trop serré. J'aurai bientôt mal. Puis le gauche. Je n'arrive pas à voir ses yeux. Son regard vit encore en parallèle du mien. Une lampe jette un éclairage timide dans le coin de la chambre. Le jeu s'amorce tout en pénombre. Une pénombre qui voile et qui révèle. Qui déguise et qui avoue. Qui maquille et qui confesse.

D'autres cordes sur le plancher. Mes chevilles sont ficelées. Jambes écartées.

Ai-je peur ? Ce n'est pas de la peur. C'est quelque chose que je ne peux nommer. Je ne sais si cela a même un nom. Je ne puis avoir peur. J'ai trop voulu, trop attendu un tel moment. Le moment de la grande dépossession. Quelle émotion accompagne l'appel de la grande dépossession ? Quelqu'un le sait-il seulement ?

Me revient comme hantise cette phrase : « Toutes les femmes rêvent de se faire violer. » Je la sens vraie. Toutes les femmes, oui, rêvent d'être violées. Mais par leur mari. Leur amant. Par l'homme désiré. Par le désir. Violées par le désir. Mais toujours le désir de l'homme choisi.

Et j'ai fait le choix de cet homme.

Sonnez, résonnez fort, cloches de ma perversité : cette nuit sera mon baptême. Chevilles et poignets ficelés en témoignent.

Il est derrière moi. Sa main dans ma crigne renverse ma tête vers l'arrière. L'air passe en filet étroit dans ma gorge arquée. Sa bouche s'approche de mon oreille. Me fait entendre son souffle. Ses doigts se dégagent de ma chevelure nouée. Ils se balancent sur ma hanche droite. Je sens son sexe dur au-delà de ma jupe et de son pantalon.

Qu'est-ce que c'est ? On dirait un morceau de plastique dur dans sa main. Je ne puis rien voir. Il l'approche de mon sein. En heurte le bout pointé. Puis dessine sa courbe. Et celle de mon ventre. L'objet vagabonde entre mes seins. Remonte à mon cou. Jusque par-derrière l'oreille : tarmac des frissons voyageurs ! Il repasse derrière moi. L'objet descend le long de ma colonne. Sur ma fesse. Ma cuisse. Ma jambe. Remonte sur l'intérieur de ma jambe. Ma cuisse. Humide. Il relève ma jupe avec l'objet. S'arrête. Sa main, sauvage, agrippe mes cheveux pour tirer mon oreille jusqu'à sa bouche. Jusqu'à ses mots. Ses premiers mots de la nuit. Ses premiers mots de ma nuit.

— Maintenant, c'est moi qui raconte une histoire. Et c'est ton histoire que je vais raconter. Celle de cette nuit. Je vais te la mimer. Et tu vas la jouer. Tout ce que je veux de toi, c'est ta jouissance. Je veux l'entendre fort. Je veux qu'elle déchire ta nuit. Comme je vais te déchirer. Tu seras ma putain. Je vais faire éclater dans ton ventre, dans ta bouche, sur tes seins, ton sexe, tes fesses, sur ton visage, toutes les jouissances que tu as semées dans mon sexe jusqu'à ce jour.

Il relève ma jupe. L'enroule autour de ma taille. Comme un ceinturon de cordage tressé. Ma jarretière est dévoilée. Impudique. Derrière moi, ses poings se referment sur le collet de mon chemisier et le déchirent dans un râle violent. Et dans le cri d'une écorchure à mon cou.

— Tu sais, Véga, on voyage dans le désir comme on voyage dans la mort. On abandonne tout. Aucune attache matérielle n'y survit.

Il remet la main à ma crinière. Tire ma tête sur le côté. Il approche ses lèvres des miennes. Son souffle me brûle. Mais il ne m'embrasse pas. Il n'a qu'un mot, qu'une phrase en litanie : « J'aime les putains. »

Mon ventre est en flammes. Des étincelles d'incendie viennent mourir sur ma peau. La percent au rouge. Un feu d'artifice dans mes seins. Virevoltant dans leur rondeur, et s'éclatant en mille soleils à leur faîte. J'ai mal. Tout ce feu qui m'embrase. Il faut que ses mains me touchent. Qu'elles deviennent « contre-feu ». Mais elles brûleront la moitié extérieure pendant que se consumera l'autre moitié intérieure. Les fours crématoires du désir.

Sa main droite sur ma nuque. Elle glisse vers ma gorge, s'enroulant dans le col pendant de mon chemisier. Son poing s'enveloppe du tissu déchiré. Aah ! Il tire le poing vers lui, lacérant presque mes épaules cette fois. Il tourne et tourne autour de moi. Derrière moi. Ses mains se posent fermes sur mes hanches. Un grand coup de bassin fait voler ma tête en avant.

— Je vais te prendre sauvagement. Comme ça. Puis comme ça. Tiens. Et tiens.

Son bassin martèle ma croupe comme, en mon rêve andalou, mon pied martelait le sol, l'appelant.

51

Encore ma crigne empoignée. Il tire trop fort. Mon cou va se rompre. Il penche de nouveau ma tête sur le côté. Sa bouche vorace plus que gourmande s'attaque à mon cou. Comme un fauve affamé. Il mordille. Puis mord. Ma peau ne résistera pas. Ses mains sont montées à mes seins. Les pétrissent. Elles ahanent pour les arracher. Et son bassin qui reprend sa bourrade. Mes mains s'agrippent aux cordes pour ne pas que l'élan entaille mes poignets.

Un bruit. Ce bruit. Encore le tintement de sa ceinture. Je l'entends glisser dans les ganses. Mais, qu'est-ce qu'il fait ? Je n'entends pas la fermeture éclair de son pantalon.

— Tiens.

Il cravache ma croupe.

— On ne t'a jamais fouettée, hein ? Espèce de putain. Je vais te fouetter comme une putain.

— Ça t'excite de prendre une putain ?

— Voilà, enfin ! Il fallait que je te traite en putain pour que tu passes au « tu ». Regarde bien ce que je vais faire de toi, petite salope.

Sa ceinture frappe sec ma cuisse.

Les coups s'arrêtent. Derrière moi, il tire ma tête, le poing enroulé dans mes cheveux comme queue de cheval. Encore sa bouche qui revient à mon oreille.

— Je sais que tu aimes ça, te faire fouetter.

Il glisse sa main entre mes cuisses.

— Tu es toute mouillée. Ça coule même sur tes cuisses. Regarde comme mon doigt glisse bien. J'aurais envie d'entrer toute ma main. Mais je vais t'épargner. Tiens. Deux doigts. Tout à l'heure, je les entrerai tous, un à un. J'irai toucher ton ventre. Tu vas voir comme elles s'ouvrent bien, les putains.

Il retire ses doigts. Non. Non. Encore. Je sens tout l'intérieur de mon sexe. Toutes les parois de ma nuit. Non. N'arrête pas. Je veux savoir. Je veux savoir ma nuit.

Il revient devant moi. Mon chemisier pend à hauteur de mon ventre. Rattaché encore par quelques fils aux manches. Ma gorge est découverte. Il retire un sein de ma guêpière. Il tourne son extrémité entre ses doigts. Il faudrait qu'il le caresse. Qu'il le prenne dans sa bouche. Qu'il le mordille. Il offre à sa vue mon autre sein. Dressé sous la caresse. Ses doigts redessinent mon galbe. Le frisson me sculpte.

Il s'éloigne dans un geste brusque. Il passe derrière moi. Mes bras tombent. Il donne du jeu aux cordes. Il revient devant. Tire une chaise. S'assied. Le voilà enfin, ce bruit : sa fermeture éclair. Enfin son sexe. Je veux le voir. Voir son désir dressé. Pointé au ciel. Lui aussi vers le néant et les rumeurs d'un autre monde.

Il ordonne.

— Agenouille-toi et approche ta bouche, ta langue, tes lèvres.

Je ne joue que de souffle. De souffle chaud sur son sexe découvert. Déjà son râle. À mon tour de le faire languir. Je quête et j'emmagasine du râle. Cette jouissance à mon oreille mouille mon sexe. Grandit mon trouble.

L'extrémité est demeurée cachée. Voilée de chair. Mais tout en relief sous ce voile. À peine un petit interstice. Ma langue s'y amuse. Qu'il languisse à son désir.

Je vais me perdre ce soir. Déjà, je m'y retrouve à peine. Dans quelques heures, l'aube va se lever par-delà ce que j'étais. Je veux maintenant ignorer où. Quand. Comment. Il me faut me perdre. Il me faut prendre l'abandon à bras-le-corps. M'aveugler à cet abandon.

Ma langue se faufile entre les peaux sans dégager le voile. Ma bouche joue de succion pour retenir le voile. Mes ongles pianotent des arpèges dans le repli chaud à la jonction de la cuisse et des testicules. Ces râles ! Ils m'enveloppent. Excitent ma fièvre. Qui de nous deux est geôlier maintenant ? Ce son me tient captive. Attise mon délire. Mon désir. J'ai un dragon rugissant au ventre. Tout cet appât qui coule de mon sexe à ma cuisse me fait courber les reins. Comme la chatte à qui la nature transperce la croupe de désir souffrant avant que le mâle atteigne son territoire.

Le voile est tombé. Son sexe aussi est rugissant. Écarlate de plaisir. Mon œuvre. Que je devrai détruire. Saccager. Mais plus tard, beaucoup plus tard. Pour l'heure, je veux rendre son désir semblable au mien. Je veux le rendre désir souffrant. Aboyant d'être délivré.

Je mouille mes lèvres. Lèche son sexe. Le fait disparaître complètement. Il frappe ma gorge. Mes mains voyagent de son pubis à son torse. Mes doigts reviennent s'enrouler dans les herbes crépues de son pénil. Puis s'évadent dans l'intérieur de ses cuisses. Ses mains derrière ma tête gardent, jalouses, son sexe sur ma gorge. Elles enserrent mes tempes. Un mouvement de va-et-vient. Son sexe est bon. Je voudrais caresser mon visage avec son sexe dressé. Qu'il glisse dans mon cou et remonte derrière mes oreilles. Qu'il revienne à mes yeux, mon front, mes joues. Puis encore ma bouche.

Ma main empoigne la base de son sexe. Mes lèvres ne bougent plus. Ma bouche suce. Affamée. Comme pour arracher. Les spasmes de l'éclatement jouent en ombres chinoises sous ma langue.

— Arrête ! Arrête ! Doucement. Lentement. Arrête… pas tout de suite. Attends.

Il m'éloigne de son sexe. Comme suppliant. Il se penche vers moi. Approche sa bouche. Enveloppe la mienne. Sa langue cherche la mienne. Encore du feu. Voilà ma bouche qui flambe.

Tout s'allume. Chaque partie de mon corps. L'une à la suite de l'autre se noie dans la flamme. Qui sait si l'on vit encore au matin de ces incendies ?

À genoux, face à face. Son étreinte me transporte dans son pays. Il délie mes poignets. Me couche. Sa bouche prend son envol sur mes seins. Elle se pose sur les bords du Léthé. Juste son souffle sur mon fleuve. Comme caresse de l'air. De vent. Le vent de son désir.

Sa soif cherche sa fin à mes fontanili. Mon désir me replonge en ces sources. Bateau à la dérive tous azimuts, couvert de brèches. Bientôt naufragé du plaisir.

Il doit s'arrêter. Je le connais, ce pays. On y arrive par erreur. En cherchant autre chose. Reprends ta route. Vite. Détourne-toi et reprends ta route. Rappelle-toi. La route des Indes. Ce pays de trésors fabuleux. De richesses. Ne t'attarde plus ici. Trop y sont morts. Trop ont cru y avoir trouvé leur quête. Trop y sont morts de m'avoir mortellement déçue.

Il a compris ! Il a percé mes pensées. Sa langue a cessé son tourbillon.

Il se relève. Son sexe exhibe l'écho du plaisir donné au mien. Il remet les cordes à mes poignets. Fonce sur moi. Mon dos frappe le cadre de la porte. Ses mains empoignent mes fesses. Me soulèvent. Mes jambes s'accrochent à ses cuisses. Emmène-moi.

Ses hanches et le mur comme marteau et enclume. Il me façonne. De toute sa fougue. Toute sa puissance. Sa violence. Ses mains sont amarrées au ceinturon que forme ma jupe. Je le sens vivre dans ma chair. Son cœur bat dans le mien. Tout maintenant doit être pris. Il ne doit rien laisser.

Mon sexe n'est plus le monde. Il est l'univers. L'infini. Ce qu'on ne peut plus imaginer. Ce que la pensée ne peut plus embrasser. Que j'éclate. En mille soleils. Que j'éclaire une éternelle seconde le néant de ces univers.

Il se recule.

— Noooon !

— Ne t'inquiète pas. Je n'en ai pas fini avec toi, ma putain. Tu en veux encore, hein ?

Il redonne du leste à mes cordes. Il me pousse vers la chaise pour que je m'y agrippe. Il m'incline pour que je lui offre ma croupe. Il reste derrière moi.

— Tu en veux encore ? Prends ça…

Encore ses mains à ma jupe. Il me tire à lui et s'amène à moi. Mes fesses frappent fort son ventre. Une main monte à ma crigne. S'y enroule. Il tire ma tête vers lui.

— Retourne à tes fantasmes. Retournes-y, belle putain. Tiens. Je vais t'y retourner. Tiens.

Il se recule de nouveau. Encore la fuite. La route des Indes s'évanouit une fois de plus au sextant. Renvoyée à la cale.

Il réapparaît devant moi. Son sexe sous mon visage. Ma tête entre ses mains. Son sexe frôle mon front. Effleure mes paupières. Presse mes lèvres. Darde mes joues. Caresses voluptueuses. Mais qui me laissent errante au milieu des mers.

Il se creuse un tunnel entre mes lèvres. Mes dents. Il cherche encore ma gorge. Comme s'il voulait voiler mon cri de son désir. Mon délire passe de mon sexe à ma bouche. Je voudrais t'emmener en moi comme cyclone. Que le tourbillon te dévore.

Ma langue ne sera pas rassasiée. Il s'arrête encore. Nooon! Je ne veux pas *doucement*. Je veux *gourmande*. Je veux *avide*. Je veux *goulue*.

— Je voudrais te voir prise comme ça, en me suçant. Moi dans ta bouche et un autre homme à ta croupe. Les coups qu'il donnerait au fond de toi pousseraient mon sexe à ta gorge. Et je coulerais dans ta bouche quand j'entendrais enfin tes cris de jouissance. J'aime que tu me boives. J'aime quand tes lèvres enserrent mon plaisir.

Il revient derrière moi. Encore la fugue. Jamais la fin.

— J'aime ton sexe. J'aime me voir m'y enfoncer. Tu es belle tout ouverte.

Ses mains claquent sur ma croupe. Scandant d'un ton sec à contretemps le rythme de ses hanches.

— Tu es une belle putain. Tu vas jouir comme une putain.

Je n'entends plus ses paroles. Qu'un clapotis. Régulier.

Sa main se plaque ferme sur ma vulve. Deux doigts piègent mon clitoris.

L'étale meurt sous de fines lames. La vague a repris sa danse. Une flamme s'allume aux étincelles de la nuit. Le feu court rapide sur l'onde, comme sur l'huile. La mer s'embrase. Elle va s'ouvrir. Une lumière. Une boule de feu la perce. Rouge. Rouge. Oui. Aaaaah…

Mais l'aube n'a pas encore vaincu la nuit. Car il a triché. Il a triché la quête. Comme les autres. Pourtant, il y avait tant de promesses dans sa poigne.

J'aurais tant voulu jouir à son sexe...

Chapitre 11

Ce doit être terrible, ces choses. Personne n'en parle jamais à la maison. Je sens que c'est sale. Que c'est mal. Mais quoi ? Mais pourquoi ? Il faut pourtant le faire. Les gars l'ordonnent. L'amour l'exige. Mais l'amour n'est-il pas censé être la beauté suprême ? Comment se purifier de ce qui salit l'amour ? Comment élever l'amour au-dessus du bassement terrestre ?

Il n'y a pas de plaisir dans ces caresses. Pas d'abandon. Que de la retenue.

Pourquoi Carole n'a-t-elle pas ces angoisses ? Pourquoi semble-t-elle prendre du plaisir ? Pourtant, Carole, ce n'est pas une putain. Je le sais. Je suis même la mieux placée pour le savoir : c'est mon amie.

Ma mère, elle, pense que Carole est une putain. Mais elle se trompe.

Carole sait beaucoup de choses. Ses tantes lui ont expliqué les bébés et les pénis. Elles lui ont dit que, peu importe la grosseur du pénis, le vagin s'adapte. Ah ? ! Je ne savais pas qu'il pouvait y avoir différentes grosseurs de pénis.

Et les bébés. J'ai vu un accouchement à la télévision. J'avais tellement hâte. Mais il y avait une couverture sur la femme. Je n'ai pas compris par où est finalement sorti le bébé. Quand je me suis risquée, devant toute la famille, à dire que c'était du nombril, j'ai compris à leurs soupirs exaspérés que j'étais à cent lieues de... l'orifice. Oui, mais où ? Tout de même pas par le petit trou où on fait pipi ? J'avais mis tant d'attentes, tant d'espérances dans cette émission de télé. Enfin peut-être allait-on répondre à *la* grande question. Mais non. Pas encore.

Un jour, Élise est arrivée en disant que sa mère lui avait tout expliqué. Ce qu'elle était fière ! Maintenant, elle était des initiés. Elle me raconta sa nouvelle science. Je n'avais encore jamais tant ri. Jamais entendu quelque chose d'aussi farfelu. D'aussi ridicule !

Elle me dit, le plus sérieusement du monde, qu'il y a une petite chose minuscule, minuscule qui part de l'homme et qui va dans la femme. Et cette chose minuscule, minuscule rencontre quelque chose de minuscule, minuscule dans la femme, et ça fait un œuf, et ça va grossir, et ça va devenir un bébé.

— Niaiseuse. Tu es donc niaiseuse, Élise.

— Pourquoi tu me traites de niaiseuse ?

— Niaiseuse. Dire que les bébés, ça vient des hommes… Elle est niaiseuse, ton histoire.

— C'est ma mère qui me l'a dit.

— Ta mère t'a fait une blague. Franchement ! Faut pas être une lumière pour se rendre compte que les bébés, ça vient des femmes, pas des hommes.

— Si tu es si bonne que ça, toi, dis-moi donc comment on les fait, les bébés.

— Je ne sais pas comment on fait, mais je sais que ce n'est pas comme tu me l'as raconté.

Oui, mais comment ? Comment ? Et qui le dira ? Ça ne se demande pas, ces choses-là. C'est tellement sale. Car je sais une chose : les bébés ont à voir avec les choses sales. Avec les choses mal. Mais, pourtant, les bébés, on leur déroule le tapis rouge lorsqu'ils arrivent. On leur construit un royaume. On n'en a plus que pour eux. Le reste n'existe plus autour. Mais où est-ce qu'ils se purifient, les bébés ? C'est peut-être pour ça, le baptême.

Il y a Catherine qui, l'autre jour, dans la cour d'école, a raconté quelque chose d'effroyable. Quelque chose qui allait devenir «mon» cauchemar. Sa mère lui a raconté une histoire qu'elle avait lue dans le journal. Il y a une femme qui est tombée enceinte en fourrant avec une couverture.

Fourrer? Fourrer? Qu'est-ce que ça veut dire, «fourrer»? Si ça peut donner des bébés, c'est parce que ça a à voir avec le sexe. Avec le mal. Avec les choses sales. Mais où on la met, la couverture, pour que ce soit «fourrer»? J'ai bien peur qu'il n'y ait qu'une seule place: là où le soir je serre mes jambes avant de m'endormir. Là où vit le plaisir. La douceur. La caresse. L'évasion. Parce qu'il n'y a que là que c'est sale. Alors, «fourrer», ça voudrait dire mettre quelque chose sur son sexe? Donc, si j'approche la couverture trop près de mon sexe, je vais «fourrer»? Je vais tomber enceinte, moi aussi? Ah! quelle misère! Comment je pourrais expliquer cela à ma mère? Elle me chasserait. Je le sais. Elle ne voudrait pas d'une putain. Elle finirait par apprendre que ça dure depuis des années. Que chaque soir, quand je la quitte, chaste, c'est pour me plonger dans des cochonneries sales. Et puis, c'est peut-être encore pire. Peut-être n'a-t-on même pas besoin de couverture pour «fourrer»? Peut-être que «fourrer», ça veut simplement dire serrer fort les jambes, les cuisses et contracter les fesses? Alors, ça voudrait dire que je «fourre» tous les soirs. Non. Non. Je ne veux pas être enceinte. Je le suis peut-être déjà. Je vais cesser ce manège dès ce soir. Je dois arrêter. Même si c'est bon. Même si c'est la plus grande et la seule douceur de ma journée. Je dois arrêter.

Mais je ne pourrai peut-être pas. Il y a un diable. Là. Juste là où je serre mes cuisses. Là où je fais pipi. Chaque soir, il fait un pied de nez à mon Bon Dieu. Mais aussitôt après, je me sens comme Ève. Pareille à Ève, qui, un jour soudain, se découvrit, se sentit «nue» dans le paradis terrestre, moi aussi, je me sens «nue» face au Bon Dieu. Je me sens honteuse. Il faut que je me cache. Je me terre sous les couvertures. Espérant que la nuit fasse disparaître ma faute, comme disparaissent dans la noirceur les objets qui m'entourent.

Mais je sais que l'aube n'aura plus jamais la pureté des enfants baptisés. Car je suis toujours vaincue. C'est là mon seul plaisir de chair. Et il m'est imposé. Par le diable. Par les enfers.

Alors je dois faire un serment, une promesse : je sais que je ne peux résister à ce plaisir d'avant le sommeil, mais je promets de ne jamais prendre plaisir, jamais, jamais, aux autres plaisirs. J'en fais serment au Bon Dieu. Promis-juré-craché.

Chapitre 12

La clarté me brise l'œil. Elle m'arrache de force à cette nuit qui hante encore les vaisseaux sous ma peau. Où est-il? Quelle heure est-il? Comment suis-je venue dans ce lit? Il a dû m'y transporter. Comment me suis-je endormie? A-t-il dormi près de moi?

Il me souvient, il me semble, que son corps s'est abattu sur le mien. Comme un arbre sous la hache du bûcheron. Son sexe dans mon ventre. En catimini, le sommeil a mené mon désir sur la colline des rêves.

Il me souvient, il me semble, que, dans sa chute, l'arbre a caressé l'air. Et tendrement. Comme le fait l'amour. Aurait-il dit «je t'aime»? En ai-je l'espoir, l'appréhension ou le doute?

Il me faut partir. Son absence me le dit. Me le dicte. Il n'a pas voulu d'un lendemain au déjeuner banal. Où, fatalement, commencent les questions. Mais aussi, où l'œil, encore greffé au souvenir de la nuit, regarde différemment. Jauge et juge.

Comment déjeune-t-on avec celle qu'on a traitée de putain?

Il nous fait grâce de ce matin. Et je lui en sais gré, même si, bientôt, je le maudirai pour cela. Car son absence, ce matin, est un nouveau plongeon. Triple périlleux dans l'attente. Entres-y bien droite, ma belle. Prends garde à l'impact. Ne te courbe pas: le choc serait funeste.

Il a laissé une orange sur l'oreiller. Un paquet, aussi, un billet d'autobus à destination de mon «coin perdu», comme il dit, et une enveloppe.

« Le soleil a dansé sur ta peau et ton mystère. Je l'y ai surpris. Je l'ai traqué. Croyant qu'il me révélerait le passage secret. Il se savait suivi. Il m'a déjoué, s'amusant à me faire courir dans quelques venelles. Mais je suis entêté.

Au bureau de poste, tout près de ton bar, il y a là, maintenant, un casier postal au nom de Véga. La case 77. La clé est dans l'enveloppe. J'aimerais que tu y ailles chaque semaine. Et laisse sur cette feuille tes mensurations. »

Mes mensurations ? Il veut m'acheter une robe de mariée ou quoi ?

Qu'est-ce qu'il a bien pu mettre dans ce paquet ? Vite, j'ouvre. Un chemisier tout neuf ! Il savait donc déjà hier qu'il allait «en découdre» avec le mien ! Il avait tout prévu ! Et mon arrivée et mon départ.

Il veut mes mensurations. Donc il reviendra. Ce ne sera pas une vaine attente. Alors, j'aimerais que tu prennes ton temps. Laisse-moi jouir de mon attente, si j'ai la garantie qu'elle n'est pas vaine. Laisse-moi le temps de créer des images. Des théâtres. Laisse mon désir m'aiguiser jusqu'à me lacérer. Que chaque cellule te réclame. Laisse-moi n'avoir plus qu'une pensée. Laisse-moi m'étrangler avec elle. Alors là, tu pourras venir m'en délivrer.

Chapitre 13

Il m'est chaque fois plus inconnu. Même si j'ai un peu triché tout à l'heure avec ces quelques longues minutes passées à questionner son intérieur. Avais-je le droit? C'est lui qui m'y a emmenée. Le risque était grand. Et l'occasion était offerte.

Mais je sais que, en observant son décor, je reniais, je trahissais ma propre règle du jeu : je ne dois rien savoir. Et pourtant, je cherche constamment.

J'ai osé scruter, mais sans même oser regarder. J'ai vu des plantes étranges. Si exotiques! Une cuisine inhabitée. Comme sans âme. Une table de travail se laissant à peine deviner sous des montagnes de paperasse, de documents, de livres. Des reproductions aux couleurs et aux émotions intenses. Et des murs, des murs et encore des murs tapissés de livres. J'ai contraint mes yeux à n'en pas lire les titres. Car sinon, j'aurais trop su. J'aurais trop appris.

Ai-je exploré son univers pour m'assurer qu'il n'était pas simple voyou? Peut-être. Est-ce que tous ces livres ne me rassurent pas un peu, au fond? Naïve, sans doute. Quelle assurance peuvent bien m'offrir tous ces livres, cet amoncellement de savoir? Est-on moins voyou parce qu'intellectuel? Et puis, est-ce bien un intellectuel? L'apparence y est déjà dans le mouvement du verbe, mais le verbe est souvent si trompeur. Le verbe ment si bien. Le verbe s'arrange si bien du faux.

Chapitre 14

Carole m'a prêté son journal des vedettes. Dedans, il y a une chronique d'un sexologue. Les jeunes lui écrivent, lui posent des questions, et il y répond.

Mais je ne comprends pas encore. Je ne comprends jamais. Rien. Jamais rien. Il y a un gars qui parle de la circoncision. Mais le sexologue n'explique pas ce que c'est. Dans le dictionnaire, on dit que c'est une « opération chirurgicale ou rituelle consistant à sectionner le prépuce. » Mais le prépuce, c'est quoi ? « Repli de peau qui recouvre le gland de la verge. » Le gland de la verge ?

Gland : « Fruit du chêne, enchâssé dans une cupule. — Ornement de bois ou de passementerie en forme de gland. — Extrémité de la verge. »

Verge : « Tringle de métal. — Baguette garnie d'argent, insigne de bedeau. — Membre viril. — Instrument de correction formé d'une baguette flexible et, plus ordinairement, d'une poignée de brindilles. — Ancienne mesure agraire valant le quart d'un arpent. — Au Canada, unité de mesure valant trois pieds. — Partie droite d'une ancre, dans le sens de la hauteur, qui réunit l'organe au point de jonction des pattes et qui est traversée par le jas. »

Viril : « Qui appartient à l'homme, au sexe masculin. Membre viril : organe de la génération chez l'homme. »

Génération : « Fonction par laquelle les êtres organisés se reproduisent. »

Ouf! si j'ai bien tout démêlé, la verge serait donc la chose qui sert à faire des bébés. Mais, bon sang de bon sang, c'est un simple pénis. Pourquoi dire «verge» quand on veut parler du pénis?

Il y a un autre gars qui voulait savoir pourquoi il avait des érections le matin en se réveillant.

Érection: «Action d'élever, de construire. — Institution, établissement. — État de gonflement de certains tissus organiques.»

Quoi? Il boursoufle? Comme lorsqu'on se fait piquer par une guêpe? Comme lorsqu'on se foule une cheville? Mais à quel endroit est-ce qu'il boursoufle? Ça doit bien avoir rapport au sexe, puisqu'il prend la peine de poser la question à un sexologue.

Il y a une fille qui raconte que son ami lui a demandé de faire la fellation et le cunnilingus. Elle demande au sexologue s'il y a danger qu'elle tombe enceinte en faisant «ça». Ce n'est même pas dans mon dictionnaire! Fellation? Cunnilingus? Il me laisse avec «ça». Comme si je pouvais aller demander «ça» à ma mère! Je trouve qu'il n'a pas beaucoup de réponses, ce sexologue.

Le sexologue dit que, si le gars éjacule près du vagin, la fille peut tomber enceinte.

Éjaculer: «Lancer avec force hors de soi, en parlant de certaines sécrétions, et en particulier du sperme.»

Sperme: «Liquide émis par les glandes reproductrices mâles, et contenant les spermatozoïdes.»

Spermatozoïde: «Gamète mâle des animaux habituellement formée d'une tête, occupée par le noyau haploïde, et d'un flagelle, qui assure son déplacement.»

Qu'est-ce que les animaux viennent faire dans l'éjaculation sur le bord du vagin, et qui risque de faire tomber la fille enceinte?

Gamète: «Cellule reproductrice, mâle ou femelle, dont le noyau ne contient que n chromosomes. Toutes les autres cellules du corps en ont $2n$.»

Merde! Merde et encore merde! Comment on les fait, ces satanés bébés? Il y avait une couverture sur la femme qui avait accouché à la télévision, et maintenant on met une couverture sur les mots.

Caché, caché. Tout est toujours caché. C'est mal. C'est parce que c'est mal. Et surtout parce que c'est laid. Il ne faut pas montrer. Il ne faut surtout pas voir. Ni savoir. Il suffit de tout déguiser avec des mots savants. Des mots trop savants.

Ouais. Et avec tout ça, moi, je deviendrai peut-être enceinte, et je ne saurai même pas à cause de quoi.

Ils arrivent d'où, les bébés? Puis ils sortent d'où, une fois qu'ils sont dans le ventre? Peut-être ai-je déjà un polichinelle dans le tiroir et je l'ignore. Et ce maudit sexologue qui s'évertue à me rendre ces choses encore plus secrètes, encore plus obscures qu'elles ne l'étaient. Pourquoi ne parle-t-il jamais avec les mots qu'utilisent les gars d'ici? Peut-être pourrait-il m'expliquer ces mots au lieu de m'en lancer d'autres à la figure. Et ils ne sont même pas tous dans le dictionnaire!

Il pourrait expliquer ce que veut dire «bander».

Bander: «Lier et serrer avec une bande. — Couvrir d'un bandeau. — Raidir en tendant: bander un arc.»

Qu'est-ce qu'on peut serrer avec une bande? Qu'est-ce qu'on couvre d'un bandeau?

Sylvain a demandé à Michel s'il avait déchargé. Il a répondu oui. Il a même ajouté qu'il décharge chaque fois.

Décharger quoi? Chaque fois qu'il fait quoi?

Décharger: «Débarrasser de sa charge. — Ôter la charge. — Retirer la charge ou faire feu, en parlant d'une arme. — Soulager. — Donner libre cours à. — Dispenser, débarrasser. — Annuler une charge électrique. — Justifier par son témoignage. — Débarquer un chargement. — Déteindre.»

Sylvain, lui, dit qu'il fourre souvent. Fourrer? Encore ce mot, «fourrer»! On revient toujours à «fourrer».

Fourrer: «Garnir de fourrure. — Introduire, mettre parmi d'autres choses. — Faire entrer. — Enfermer. — Donner avec excès et mal à propos. »

L'autre jour, j'ai dit à ma mère que j'avais des hémorroïdes. J'ai eu du courage pour le lui annoncer. Car ça aussi, ça se passe dans les culottes. Mais, au moins, c'est moins sale que le sexe. C'est moins sale que les bébés.

Avant de penser que c'étaient des hémorroïdes, je pensais que c'étaient les menstruations. Je l'ai dit à une copine. Elle m'a rapidement détrompée sur mes prétentions à l'adolescence et au monde des grands.

— Tu es encore beaucoup trop jeune pour être menstruée.

— Pas si jeune que ça. J'ai douze ans et demi.

— C'est trop jeune.

— Tu es certaine?

— Je te le dis. Ce n'est pas avant quatorze ans, ces choses-là. Je le sais, moi, j'ai treize ans et je n'ai encore rien. Je suis certaine que c'est des hémorroïdes, ton affaire. Est-ce que ça saigne beaucoup?

— Non. Juste un petit peu dans ma culotte.

— Il n'y pas de doute, c'est des hémorroïdes. Ça ne peut pas être les menstruations, car les menstruations, ça saigne beaucoup. Tu devrais aller dire à ta mère que tu as des hémorroïdes.

— Comment on attrape ça, des hémorroïdes?

— Quand on a froid aux fesses. Tu as dû attraper froid aux fesses.

— Justement, hier, j'ai aidé les voisins à tirer la toile dans le fond de leur piscine. Il y avait juste un peu d'eau dans le fond. Elle était glacée. Et nous, on devait s'accroupir pour tirer la toile. Mais mes fesses traînaient dans l'eau glacée.

— Cherche pas d'autres raisons. C'est cela, c'est sûr.

Je l'ai dit à ma mère. Évidemment, j'étais bien déçue que ce ne soient pas les menstruations, car je les attendais depuis tellement longtemps. Mais c'était mieux ainsi. Je me rendais compte que je ne trouverais jamais le courage de prononcer ce mot devant ma mère. «Menstruations». C'est un mot bien trop sale. Les hémorroïdes, c'est vraiment mieux! C'est préférable à une soudaine poussée de féminité.

— J'ai des hémorroïdes.

— Comment sais-tu cela?

— C'est Marie qui me l'a dit. Hier soir, quand on a installé la toile de la piscine chez les Beaulieu, j'avais les fesses dans l'eau glacée.

— Voyons donc, ce ne sont pas des hémorroïdes, ce sont tes règles.

Non. Non. Pas encore. Ça recommence encore et encore avec de nouveaux mots. Les «règles» à présent. Quelles règles? Ma règle d'école? Pourtant, on dirait qu'elle veut me parler de menstruations. Pourquoi alors dit-elle «règles»? Peut-être que «règles», ça veut dire autre chose que «menstruations». Mais est-ce que c'est aussi sale? Dois-je rougir? Il me semble que oui. Son attitude me le dicte. Me l'ordonne. Je le sens bien que je dois me sentir honteuse. Coupable. Encore une fois. Toujours coupable. Je suis coupable d'avoir quelque chose dont j'ignore la signification.

Vite, vite, un dictionnaire. Que je sois sauvée ou condamnée. Mais que je ne reste pas dans ce purgatoire à craindre l'enfer. Tout, tout sauf le doute.

— Viens avec moi, je vais te donner quelque chose.

Elle sort une serviette hygiénique de son tiroir. Je n'en avais jamais vu d'aussi près. Elle me tend aussi une sorte d'étrange ceinture. Ça y est, je comprends, le coup est tombé: je suis menstruée.

— Tiens, tu demanderas à ta sœur de t'expliquer comment installer ça.

Quoi? Et en plus devoir subir l'humiliation de ma sœur? Non, merci. Non, jamais. Pas avec ces choses sales là. Je vais me débrouiller. Seule.

Ce sera comme le reste. Comme tout le reste. On ne me dit jamais rien.

Chapitre 15

Ça sert à quoi qu'il m'ait loué un casier postal s'il y expédie des colis trop gros pour y entrer ? Je me demande ce qu'il y a dans cette boîte. Ça a un son bizarre quand je la secoue. Ce n'est certainement pas un simple cadeau. Ce n'est pas le type d'homme à faire des cadeaux.

Mais qu'est-ce que c'est que cela ? Wow ! Un habit de Babylone ! Un vrai costume de Babylone ! Babylone la Grande ! C'est magnifique ! Tout en voiles. Diaphanes.

C'est tellement étrange. Tout n'a de cesse d'être étrange avec lui. Je ne lui ai pourtant jamais parlé de cette rêverie enfantine née d'un film qui m'avait tant transportée. Et si loin ! Au cœur d'un univers que je voulais mien. Que je sentais mien. Avec quasi-furie. Les plus belles femmes du royaume de Babylone virevoltaient comme papillons, faisant danser, en halo autour d'elles, de grands voiles multicolores. Elles étaient le vent. Plus puissantes que le vent. Elles étaient la liberté du vent.

Leurs habits étaient comme celui-ci. Un pantalon de voile qui s'accroche bas sur la hanche. Une fine doublure pour la fesse et le sexe. La cuisse et la jambe bouffantes, qu'un élastique ferme à la cheville. Un corsage auquel se greffent des manches bouffantes en voile. Le ventre est laissé nu. Et pour cause ! C'est lui qui a tâche d'ensorceler. Les hanches, les bras, les voiles, eux, hypnotisent, tout simplement.

Il y a aussi un voile jaune cousu à un diadème. L'habit est couleur de lapis-lazuli. C'était donc pour cela, les mensurations.

Des bracelets. Une montagnette de bracelets. C'est ça, le cliquetis que j'entendais. De toutes les couleurs. Et d'or aussi. Mes bras ne seront jamais assez longs pour que je les y enfile tous ! Il y en a pour les chevilles, je crois. Mais qu'est-ce qu'il veut ? Il doit bien y avoir une explication à ce déguisement ? Voilà ! Une enveloppe enterrée sous l'amas de bracelets.

« Au ciel de juin, au soir du solstice, Véga brillera bleue sur une nuit blanche. Astre dansant serti d'un halo jaune, je la contemplerai. Le son de son ballet me ravira. »

Et puis l'adresse. Il veut que je retourne chez lui. Dans trois jours. Trois jours. Encore cette fois.

J'irai à mon rêve. Je serai ce harem de femmes aux voiles tourbillonnants, devant le feu de ses yeux. Je serai la folle liberté de mon vent. Véga « étincellera » son désir. Je serai Babylone ! Je serai tout Babylone !

Chapitre 16

Tout ce que je connais du jeu, tout ce que j'en sais, c'est que je suis un des deux joueurs. Mais je ne sais même plus *qui* de nous deux forge les règles. J'ai cru, un moment, les avoir inventées. Maintenant, j'ai la sensation qu'elles nous sont imposées.

Il est dangereux, ce jeu. Je le sais trop bien. Je devrais avoir peur. Et, au fond, oui, j'ai peur. Mais je veux foncer. Je veux savoir. Je veux toucher. Toucher ce qu'il y a au-delà de l'interdit. Au-delà du censuré. Au-delà du Mal. Comme pour casser quelque chose, enfin. Casser la nuit, peut-être. Casser la noirceur. Casser les tabous. Casser la culpabilité. Casser la honte. Casser la colère du tabou. Casser la violence. Casser mon passé. Casser la violence de mon passé. La violence de la honte. La violence de la culpabilité. La violence des tabous.

Il est dangereux, je sais, ce petit jeu. Cette nuit-là passée dans son appartement, j'aurais pu souffrir. Et beaucoup. Mais j'ai joui. Et beaucoup.

Prise aux barbelés de ses mots, de sa poigne, de ses saccades, de sa fureur. Une fureur qui façonne le désir. Un désir à chevaucher.

Mais demain? Et après? Et si *l'après* devait vivre? Si cette violence cherchait sa fin? Si cette violence trouvait *ma* fin? Cavalière par trop téméraire, jetée à bas de sa monture. Un pied coincé dans l'étrier. La tête traçant sillons dans le sable de l'arène de son plaisir. Éros occis. Le triomphe de Thanatos.

Reculer ? Reculer n'est pas la vie. La mort est à la fois derrière et devant. Mais plus amère derrière. Devant, elle accepte encore d'être défiée. Mais derrière, elle dévore sans pitié aucune. Elle abhorre la crainte, la peur, la frayeur qui drape les reculs. Le désir, lui, ne connaît ni crainte, ni peur, ni frayeur. Le désir est toute-puissance. Plus puissant que la vie elle-même. Le désir se meut aux confins de la vie et de la mort. Il est *et* la vie *et* la mort.

Chapitre 17

Mon cœur se débat comme un forcené. Il faut le contenir avant qu'il ne dévaste tout. Que ne s'étendent ses ravages. Déjà, je sens mes joues rouges. Gorgées de gêne ou de désir ? Je ne sais plus. Mes mains sont moites. Ma pensée est comme l'aiguille folle d'une boussole. C'est là. En face. L'escalier. Encore un escalier à franchir, et je le retrouve.

Passe ton chemin, ma belle. Il est des escaliers qui s'ouvrent sur des mondes à fuir. À proscrire.

Basta ! Basta, la peur. Basta, la petite fille. Basta ! Basta ! Passe ton chemin toi-même, maudite peur. Il est aussi des escaliers qui s'ouvrent sur des libertés.

Une marche et déjà je n'entends plus l'écho des sales peurs. Un escalier vers mon solstice ! Ma lumière plus longue que ma noirceur. Mon jour enfin plus long que toutes mes anciennes nuits. Tantôt la joie. Tantôt l'ivresse. Mes oreilles sont sourdes aux bruits de la rue. Il n'y a que la cavalcade de mon cœur qui martèle mes tympans.

Je voudrais faire glisser chaque marche sur ma peau. Qu'elles coulent une à une de ma nuque à ma croupe. Je voudrais emprisonner l'émotion de cette escalade. Me faire Sisyphe en cet escalier qui monte à mon désir.

Je pose tremblante la main sur la poignée. La porte se laisse ouvrir. Pas de verrou. Il n'y a pas de verrou aux nuits de solstice. Une lueur se jette timide dans la cage de l'escalier intérieur. Encore des marches à faire entrer en mon frisson. Une odeur vient à moi. Des effluves d'ambre. Parfum étrange, envoûtant. Qui donne à la main envie de toucher. De prendre. De posséder.

Ces effluves s'évanouiront bientôt. Dès que mes sens en auront pris l'habitude. Les parfums s'accommodent mal de l'habitude. Ils en meurent. Et je sens la mort aux talons des instants qui passent. Des portes de cryptes d'émotions claquent à chaque pas. À chaque marche. S'amorce cette lutte frénétique du désir qui veut arrêter le temps.

Une musique. Une musique du désert. Celle qui emplit la nuit. Qui s'arrache à la terre comme offrande à la lumière des étoiles. Je la rejoins. Ou plutôt elle me rejoint. Elle s'offre à la nuit. Elle la pare.

Personne. Pourquoi ne vient-il pas à ma rencontre? L'appartement semble désert. Désert de lui, mais plein de ce qu'il m'offre. Ce parfum, ces notes, et même cette brise qui joue les fantômes sur les rideaux de voile. Et tous ces livres qui habitent la pièce comme autant d'observateurs, de témoins à ma nuit. Des livres. Encore et encore des livres. Un tableau. Un divan. Un kilim avec une table en son centre. Dessus, un narguilé. Et une bouteille de cognac.

Personne. Je vais à l'autre pièce. Puis à l'autre. Et à l'autre. Rien. Que cette musique. Et le souvenir du parfum de l'ambre.

Les bobines de la cassette sont à moitié. Elles roulent vraisemblablement depuis un quart d'heure. Ça sent le scénario.

J'enlève mon manteau et mes souliers. Je retourne à la cuisine. Il a laissé les verres sur le comptoir. Je reviens à la musique. Le son du cognac versé coule à mon oreille, brûlant comme le liquide dans une seconde sur ma gorge. Je tire le voile et le diadème de mon sac.

Une note vient darder ma hanche. Un friselis la secoue. L'oscillation ne s'arrête. Elle serpente jusqu'à l'épaule. Je la sens qui veut s'introduire. Pénétrer. Pour y jouer son bal. La musique me joue et me gagne. Bientôt, je ne serai plus en ce lieu. Je serai en son milieu. Je serai ce rythme mi-arabe, mi-andalou. Ce rythme qui possède et dépossède tout à la fois.

Des milliers de fontaines sur ma peau. Ma pensée enfermée dans mon désir, et mon corps enfermé dans la musique. Je revois une scène. Là. Juste ici, à côté, dans le corridor. Je revois et je re-sens les eaux résurgentes à ma cuisse. J'avance plus avant en son pays. Cette danse n'est pas mienne. Elle est de son pays. Peut-être même est-elle *son* pays. Et peut-être même qu'à cet instant suis-je aussi son pays.

Et mes bras sont le chant; et ma hanche, les battements; et mes épaules, la guitare.

La musique s'arrête net. Le silence fait mouche. Me voilà paralysée.

— Que tu es belle, Véga!

Un sursaut. Cette voix. Je me retourne. Il est là. Contemplatif dans l'embrasure de la porte. Mes voiles semblent encore danser au fond de sa pupille.

— Que tu es belle! Et j'aime te voir danser. J'aime te sentir possédée par la musique. Te regarder jouer en toi. On dirait un grand théâtre intérieur. Pendant un moment, on aurait dit que c'étaient tes mouvements qui ordonnaient à la musique de jouer, et soumise elle t'obéissait. Ton corps, tes gestes enveloppent la musique. Je veux que tu danses encore pour moi.

Il marche vers moi. L'envie de sa main sur ma peau me déchire en lambeaux. Il passe outre. Outre à ma peau, outre à mon corps. Non. Non. Reviens. Sans même m'effleurer du bout des doigts, il va s'accroupir devant la petite table. Les chaînes et les fers ne sont rien à côté de l'emmurement dans lequel le désir peut nous plonger. Le Grand Esclavage. La peau crie à tue-tête, tue la tête. Et l'on vendrait son ciel pour calmer un peu de cet enfer.

— Viens, Véga. Assieds-toi.

Il chauffe le haschich. Allume la pipe. Me la tend.

— Je voudrais que ta danse soit sans remparts.

79

— De toute façon, j'ai bien peur qu'avec toi, il n'y ait jamais de remparts.

— Je te fais peur ?

— Non.

Ô que non ! Ce n'est pas toi qui me fais peur. C'est moi. Mais ça, c'est mon secret.

La fumée s'engouffre dans ma bouche. Ma gorge. Mes poumons. Mon ventre. Mes mains. Mes paupières se ferment. La musique revient ensonoriser ma nuit. Assise sur mes talons, je bascule vers l'arrière. Ma tête se pose sur le kilim. Mon corps dessine un pont. Mes mains enfumées dansent seules au-dessus de ma tête, au-dessus de ma poitrine. Puis elles s'évanouissent sur elle. Renaissent en la caressant. Et s'avancent, insolentes, sur mon ventre dénudé.

Le cliquetis des bracelets m'ensorcelle. Les sons envolés attirent bras comme aimants, comme la flûte du psylle, le serpent. Et le pont s'arque encore plus en mes reins. Mes épaules s'arrachent du sol. Ma danse s'ancre à la nuit. S'amarre à ses yeux. Le désir mouille au large.

Dans cet habit de voiles qui dévoilent, et qui pourtant masquent tant de mystères, il n'y a que moi qui puisse voir au travers. Et voilà qu'enfin, je la vois poindre sur mon horizon ! La voilà qui m'appelle. La voilà qui me fait sienne. Babylone ! Je suis Babylone… mon rêve de Babylone !

Chapitre 18

Encore ce soleil. Ce poignard à ma nuit. Et ces chants d'oiseaux en guise de requiem.

Il dort encore. Son souffle a le son des rêves sereins sur ma nuque. Sa main s'est prise dans mes voiles. Sous mes voiles. Sur mon sein. Tout son corps épouse le mien. Son ventre se gonfle dans mon dos. Ses jambes dessinent le contour des miennes.

La lumière tente de s'infiltrer. De dessiller mes yeux. Y parvient. Un arbre. Ses feuilles immobiles comme figées dans un tableau. Un matin sans mouvement. Sans plus aucun mouvement. Ne survit de cette nuit qu'une force impalpable : celle du souvenir qui cherche ma mémoire.

Ce balcon. Cette couverture. Ces coussins. J'ai perdu la trace de ma venue sur ce balcon. J'ai perdu la trace de mon entrée dans le sommeil. Il y a bien quelques demi-teintes. Je me revois, ici. La tête sur un coussin. La sienne tout près. Et cette symphonie d'étoiles inventées au ciel de la ville. Inventées ! Si bien inventées !

Avons-nous parlé ? Ma danse, mon corps lui avaient déjà tant dit. Il me souvient, il me semble, que le silence a été fort bavard. Un silence si paisible. Un silence sans attente. Sans malaise. Un silence si léger.

Et ses mains ? Ont-elles parlé, ses mains ? Je crois que cette main endormie sur mon sein ce matin est la seule incartade qu'il ait osée. Je dis « osée » comme s'il était timide !

Je devrais plutôt dire : la seule incartade qu'il m'ait consentie.

Étrange voyage. Un voyage où tout reste en suspens. Rien à résoudre. Surtout pas le désir. Rester impassible et laisser le désir envahir la nuit au dehors des corps. C'est sans doute ainsi qu'on parvient à inventer tant d'étoiles au ciel de Montréal.

Je ne veux pas rester. Les matins sont si souvent mensongers. Il y a toujours trop de lumière dans les matins. Un matin, ça peut être si assassin. Je tire sa main hors de mon corsage. Je me glisse hors de son étreinte. Son souffle m'annonce qu'il émerge des rêves. Un rayon de soleil rieur à son œil. Un sourire tendre à ses lèvres. Un sourire au bout duquel il n'y aura pas de son. Un sourire comme caresse. Comme mot d'amour.

Mais mon œil ne veut pas l'entendre trop longtemps. Ne veut pas l'entendre tout court. Je me lève. Je rentre dans l'appartement. Mes souliers. Mon sac. Mon manteau. Je me laisse prendre par ces escaliers, où chaque marche raconte à rebours l'histoire du désir qui l'a foulée, il y a un instant à peine.

Chapitre 19

Si Daniel parlait... Il n'a aucune raison de se taire. Malgré tout ce que j'accepte de faire, il ne m'aime pas. Je le sais. Et je sais que les gars aiment ça, se vanter de ces choses-là. Mais eux, on ne les traite jamais de « putains ». Alors, ils peuvent tout raconter. Inventer, même ! C'est encore mieux. C'est plus vrai. C'est toujours plus vrai quand c'est faux.

Je n'irai plus dans la cabane sous la butte de sable. Plus jamais. Je voudrais l'effacer de ma vie, cette noire cabane. Chambre des tortures. Tortures à la culpabilité. Chambre de la honte. Tout le monde, ici, sait qu'elle existe. Et je sens, quand je tourne le dos, que tout le monde sait que j'y suis allée. Ils y sont tous allés aussi, garçons et filles, mais il me semble que ce n'est que moi, la coupable. Je les entends penser : « Putain, si jeune et si putain. » J'entends leurs pensées : le mépris a toujours eu l'onde si bruyante.

Demain, Simon vient me voir. On va se promener dans le quartier, main dans la main. Mais ils seront tous là, les gars d'ici. Tous les soirs, ils sont là. Et je les ai déjà entendues, les médisances qu'ils vomissent. Et s'ils décidaient, devant Simon, de s'amuser de moi ? Ils pourraient se laisser aller à tellement d'allusions. Ils pourraient tout dire. Et ce qui est vrai et ce qui est faux.

Simon ne comprendrait pas, c'est certain. Simon, c'est un pur. Simon n'a rien de commun avec les gars d'ici.

Simon semble ne pas avoir de sexe. Est-ce parce qu'il est plus jeune que les gars d'ici? Simon n'a jamais cherché mon sein. Jamais. Il est pur, Simon. Peut-être ne sait-il pas? Mais on dirait que ce n'est pas le comment qui l'arrête, mais le pourquoi. Il n'a pas besoin de ça, lui, pour m'aimer. Il m'aime sans me salir.

Mais si les gars lui disent? Il les croira. C'est trop monstrueux pour être faux. Ils pourraient décider de *tout* lui dire. Lui raconter toutes les fois où je suis allée dans la cabane. Lui dire que Daniel a pris mon sein. Dans ses mains et dans sa bouche. Qu'il a mis son sexe dans ma main. Qu'il m'a montré comment le caresser. Qu'il a mis ses mains dans mon pantalon. Qu'elles ont reculé d'effroi, ses mains, devant mon pubis glabre. Mais qu'elles ont vite retrouvé leur courage au détour de leur désir.

Je n'ai rien senti, je le jure. J'ai attendu que ce soit terminé. Chaque fois. J'ai attendu. Docilement. Je ne suis pas une putain. Les putains, elles, elles aiment ça. Moi, je n'aime pas ça. Et je ne sentais rien. J'attendais. J'attendais que ce soit fini, mais, plus encore, j'attendais un mot. Peut-être allait-il me le dire cette fois-ci. Ou peut-être cette fois-là. «Je t'aime.» Juste «je t'aime». Ce n'est pas trop attendre, «je t'aime». Ce n'est pas trop demander en échange, «je t'aime». Mais il n'a jamais eu ce mot. Malgré les mois. Malgré le duvet qui, enfin! recouvrait mon pubis et ma pudeur. Ni ce mot ni aucun autre, d'ailleurs. Il ne me parlait pas. Il disait seulement: «Tu viens dans la cabane ce soir?» Et après, tout était silence. Tout était si lent. Tout était si lancinant.

Simon, lui, il me parle beaucoup. De tout. De sa vie, de ses parents divorcés, de l'école, des profs. Mais jamais il ne me parle de son sexe. Ni avec sa voix ni avec ses mains.

J'ai fait «ça» pour être aimée, et je ne l'ai pas été. Et à présent, il me faudrait ne pas l'avoir fait pour être aimée. Si Simon apprend cela, jamais plus il ne me parlera ni ne m'aimera. Si les gars parlent ce soir, ce sera ma fin. Je n'aurai donc plus jamais de repos? Je le traînerai donc jusqu'à la mort, ce boulet? Ce boulet si sale. Un boulet à traîner et à cacher. Je n'ai pas encore quatorze ans, et ma vie est déjà fichue. Je suis déjà trop sale pour qu'un gars puisse m'aimer. Tout ce qui peut m'arriver, c'est qu'on me salisse encore davantage.

Ces gars. Ces maudits gars. Si je pouvais acheter leur silence. Si je pouvais ne les avoir jamais connus. Si je pouvais réapparaître en une autre ville. En un autre pays. Être de nouveau pure. Immaculée comme au jour des baptêmes. Mais l'eau de mon baptême était si sale. Souillée. De la souillure des putains. Indélébile.

Chapitre 20

Non mais quoi ? C'est une fixation ! C'est de la superstition ! Trois. Encore trois. Trois jours. Il joue la Sainte Trinité
ou quoi ? Ève, la pomme et le serpent ? Le triangle du désir,
de la violence et de la soumission ? Ou bien est-ce un aver-
tissement ? Une mise en garde ? Un code ? Pour dire que la
clé de son tréfonds est un trident sur lequel je pourrais
saigner ? Peut-être compte-t-il me ressusciter au troisième
jour ! C'est bien à trente-trois ans et à trois heures de l'après-
midi qu'il a trépassé, et puis au troisième jour que le
« corps » de la Sainte Trinité a vaincu les enfers.

Si ce n'est la Sainte Trinité, alors ce seraient les trois
mousquetaires ? Preux chevalier flanqué de trois acolytes,
tu voleras au secours de mon désir que tu assassineras à
coups du tien !

Ou peut-être est-ce la règle de trois ? L'énigme logique.
Mathématique. Le risque calculé. La variable inconnue qui
se laisse dépuceler. Le mystère passé à la dague.

Ou les trois dimensions ? Prendre par l'œil. À la façon de
l'œil. Pour tout envelopper. Tout avaler. Dévorer. Engloutir.

Ou la guerre de Troie ? Ah ! brave Achille ! Que ne
donnerais-je pour te mordre au talon ! Mais, alors, j'aurais
ma tête sous ta botte… Mais peut-être l'ai-je déjà.

Périr. Toujours périr. Toujours.

Terre de glaise, il me sculpte. Ma raison se modèle sous
ses doigts. Je deviens son désir. Je deviendrai *le* désir.

La missive, cette fois-ci, donne l'adresse et l'heure d'un bal. D'un vrai bal. Masqué. Samedi. Dans trois jours. Une adresse et de l'argent pour la robe à louer.

Cendrillon aux pantoufles de vair, je m'offrirai princesse. Tu me feras reine... de ton délire de nuit... d'une nuit de délire.

Prends garde. Tous les abus se peuvent derrière un masque.

Se cacher à soi pour aller au bout de l'autre, ou se cacher de l'autre pour aller au bout de soi ? À qui ment-on ? Mais est-ce seulement mentir ?

Pour tout ce qui fut mensonge avant, je dois y aller. Pour tout ce qui m'a été masqué, caché avant, je dois y aller.

Chapitre 21

Comment le reconnaîtrai-je ? Parmi ces barons, ces princes et ces seigneurs ? Peut-être s'est-il fait tout simplement et tout judicieusement « marquis » ! Je pressens qu'il ne viendra pas me chercher dans ce hall. Ça sent trop la chasse ! La chasse à courre. Le piège. Lui sait derrière quel masque et sous quelle robe je me cache. En m'aidant à l'enfiler à l'essayage, la vendeuse avait un air par trop complice. Quelle étrange sensation ! Être là drapée d'inconnu et me sachant découverte. Je me sens nue. Malgré ce masque et cette lourde robe des courtisanes des rois d'Europe, je me sens, je me sais si nue. Il saura tous mes pas, ce soir. Il épiera à sa guise. Et ce, le temps qu'il lui plaira. En toute liberté ! Pourquoi est-ce toujours moi, la prisonnière ? La prisonnière de nos jeux ? Je jouerai encore. Encore ce soir. Et il le sait. Et je sais son plaisir de me savoir consentante. Deviner ce plaisir rend déjà des échos à ma lagune.

Songe d'une nuit d'été joué aux jardins de Versailles. Improvisation en combien d'actes ? Sonnez haut et fort les trois coups d'annonce au théâtre de ce soir : j'entre en scène !

Vivement qu'un chevalier se prenne l'œil au filet de mon corsage. Les mains aux fers de ma taille. Les pieds à la geôle de ma valse. Danser. Danser. Encore danser. Me volatiliser dans ce tourbillon. Danser à ses yeux. Pour le frisson à son sexe. Chercher le mouvement qui trouble. Le façonner. Le polir. Le cacher en mon ventre. Le faire sourdre de ma cuisse. Pour le sursaut à son œil. Réverbéré sur le mien. L'onde éclate et colore rouge le galbe de mon sein, si haut relevé au-dessus de mon torse sanglé.

Les cavaliers défilent dans mes bras. Il n'est pas venu. Par-delà les masques, j'ai cherché l'odeur. L'odeur du parfum et de la sueur. J'ai cherché dans la main. La force. La poigne. Ferme. Celle qui prend. Sans permission. Rien. Rien. Il ne m'a pas fait danser. Je le sais. Il est des mains à la hanche qu'on peut reconnaître entre mille.

Et c'est encore à moi que revient l'attente...

J'ai envie d'alcool. Que ma pensée tourne au rythme de mon corps. Je veux jouer mes délires à l'unisson.

Un verre à la main, je referme la porte derrière moi, m'adossant contre. Un peu de fraîcheur, enfin! J'aime les toilettes. Ressuis filtrant la rumeur. Les sons se feutrent. Havres hors des espaces. Havres qui reprennent du temps au temps. Havres exigus. Qui enveloppent. Qui calment. Et qui permettent de prendre la mesure de l'ivresse. Avec miroirs qui, eux, donnent la mesure, la pleine mesure des ravages faits aux visages de la nuit!

Je ferme les yeux. Le rêve m'invite. Séduisant. Enchanteur. Il dessine ses fantaisies. Je les colore. La porte me bouscule. Souffle comme pâle fumée ma rêverie. Une femme entre. S'excuse de la bousculade. Elle sourit à son image dans la glace. Au masque qui lui sert de visage. L'eau coule dans ses mains en coupe. Elle se penche. L'amène à sa nuque. Elle sèche ses mains. Fouille dans son sac. Un étui d'or. L'ouvre. Y trace des sillons. Un tube. Elle respire. D'un trait. Ses yeux se ferment à travers les ouvertures de son masque. Elle respire profond. Au-delà des poumons. S'approche. Met le tube dans ma main. Ma tête s'incline. La magie coule dans ma gorge. Déjà ma dent s'engourdit. Ma poitrine se gonfle de bravade. Magie blanche! Me voilà maîtresse de mon céans. Illusionnisme! Se savoir maître de rien et pouvoir être maître de tout! Quel vertige exquis!

Elle referme l'étui. Le glisse dans son sac. En sort une cigarette. L'allume. Son regard s'ouvre sur le mien à travers les volutes. Et à travers les masques. Sa main s'avance. L'incendie en son creux. J'y vois danser les flammes. Comme petites sorcières ensorceleuses. Elles brûlent mes lèvres. Elles tremblent sous la chaleur. Des étincelles maintenant sur mon cou. Son souffle comme soufflet les attise. Un brasier à mon galbe. Paralysée. Les sensations se font un bal dans mes veines. Un bal démasqué! Je les laisse vivre. Courir. S'affoler. Crier. S'essouffler. S'entrechoquer. Qui, de mes sensations ou de moi, possède qui? J'ai perdu sa main. Je la cherche à la trace de mon frisson. Elle n'y est déjà plus. Je n'attrape que des ombres. Ma cuisse humide. Mes eaux me troublent. Comme envie de m'y plonger. De l'intérieur. Son visage réapparaît à mes yeux. Sa bouche trempée se colle à la mienne. Elle retourne à la glace. Ouvre de nouveau son sac. Colore sa lèvre de rouge. Elle revient vers moi. Sa main effleure mes lèvres. Elle sort.

Une vision? Un fantasme? Un songe? Un mirage? D'où est-elle venue? De ma tête? De nulle part? Des enfers? Du feu des enfers? Sûrement. Car trop d'incendie. Peau brûlée et tête roussie. Morale mise à feu. Mise au feu des plaisirs. Plaisir et morale. Plaisir contre morale. Plaisir immoral.

La faute se dévoile. Se démasque. Montre son visage. Il y avait si longtemps, ce me semble. Si longtemps qu'elle ne s'était montrée si menaçante. La culpabilité me garde si jalousement à elle. À la vie à la mort, dirait-on. Toujours prête à l'assaut sanglant. Toujours prête à maculer de sang. Ma seule arme: la noyer. D'alcool, de drogue ou de danse. Ou les trois.

J'ouvre la porte. La musique, la rumeur et les rires me rejoignent. Mon pas s'élance vers le bar. Cognac. Double. Non, triple! Qu'il me soit par trois fois plus rapide pour la noyade. Par trois fois plus efficace. Ma gorge se lamente de brûlures sous son feu. Qu'importe. Il faut remettre ça encore. Et encore s'il le faut. Deux mains à ma taille. Son visage se dessine à moi dans son seul toucher. Il me colle ferme sur lui. De dos. Son souffle à mon oreille.

— Petite salope, tu es mouillée, hein ?

Il me tient là pendant que je finis mon verre. Il me pousse, marchant derrière moi, en direction opposée de la musique. Du bar. Des alcools que je réclame. Des alcools dont j'ai besoin. Du masque dont j'ai besoin.

C'était son idée, tout cela, les toilettes ! Il avait tout orchestré. Et la poudre de perlimpinpin. Et l'eau de mes barrages.

Un couloir.

— Viens. Il y a si longtemps qu'on n'a pas joué !

Il joue. Moi, je ne suis pas sûre de jouer. Mais je sais que je serai du jeu.

Sa poigne. Cette poigne. Tout entier dans cette poigne. La vie intense dans cette poigne. Le désir brut. C'est moi qui serai noyée. Pas mes monstres. C'est moi. La tête tenue dans l'océan du désir par cette poigne.

Un ascenseur. Le silence encore. Que son souffle à mon oreille. Haletant, déjà. Marquant, de loin, le rythme de la sauvagerie. Souffle annonciateur qui lève le rideau. Générique de la nuit. Pendant combien de *cris* tiendra-t-elle l'affiche ?

Je ne veux pas de peur. Je ne veux pas *la* peur. Comment parvient-on à être aveugle au danger ? Et sourde au péril ? Pourrai-je, un jour, marcher droite et altière à travers l'étendue de mon délire ? Le plaisir ne vient que des ailleurs sans peur. Je voudrais palper les limites du plaisir. Là où le néant se crée. Où le néant se crée et meurt.

Un long couloir. Une porte sans verrou. Sans besoin de verrou parce que sans issue.

Son bras me pousse devant lui. Il me retourne. M'adosse violemment au mur. Sa main sur ma gorge. Comme étranglante. Son œil se fait cinglant derrière le balancement des mèches tombées devant mes yeux. Ses mains comme pattes de condor sur mes épaules. Mes genoux fléchissent sous la pression. S'appuient au sol. Sa main va à la ceinture. Ce bruit. Encore. Comme l'écho d'un ordre. Sa main à son sexe. L'autre à ma crigne. Mes lèvres s'ouvrent. Son râle déclenche la crue des eaux. Un ruisselet sur mon talon. Il se recule, brusque. S'adosse au mur, pantelant. Laissant le plaisir reprendre son avance. Pour mieux lui courir après. Et le laisser de nouveau filer lorsque rattrapé. Petite ruse bien naïve. Car vient toujours cette seconde où la volonté s'écrase, baisse pavillon, abdique. Cette seconde d'échec à l'ascension.

Je me redresse. Dos au mur aussi. Nos corps distants et pourtant embrasés l'un de l'autre.

Sa main à ma main. Il la traîne derrière son pas. Jusqu'au lit. Il se laisse tomber assis. Ma tête entre ses mains sous la férule de son désir. Son plaisir a rendu ma bouche gourmande. Goulue. Vorace. Sauvage.

Ma robe. Quelqu'un la relève. Qui? Mais qui? Je ne peux tourner la tête. Ses mains l'emprisonnent à son sexe. Des mains sous ma robe. Entre mes cuisses. Non. Sur ma croupe. Non. À mon sexe humide. Non. Je me débats. Ses mains resserrent leur poigne à mes tempes.

— Tu ne veux pas, hein? Moi, je veux. Je veux te voir jouir pendant que tu me suces. Je veux te voir jouir comme une putain. Je veux te voir prise par le plaisir. Laisse. Laisse. Laisse aller. Laisse venir.

Mon corps veut se déraidir. Ma tête lutte. Lutte âprement. Mais contre qui? Contre ces mains à ma fesse? Ou contre une image à ma morale? Je ne sais même plus. Je veux m'en aller. Mais comment peut-on s'en aller quand on veut rester? M'en aller où? Je voudrais m'en aller de moi. Hors de moi. Prisonnière! Non pas de ces quatre mains, mais de moi. Désolant constat. Il y a de l'amer à mon plaisir.

Ces mains à ma fesse, petites. Des ongles. Longs. Est-ce cette femme encore? Il y aura combien de convives à cette nuit? Non. Je pars. Je pars. Des doigts sur mon sexe. Il se referme. Il doit savoir qui. La caresse est impossible sans visage. Ma fesse s'est crispée. Mon corps tout entier aussi. Que cesse cette campagne.

Je sens ton œil voyeur se repaître. Et je tangue. Je tangue. Par ton désir, je tangue. Ma cuisse s'ouvre. La sente étroite vers mon ventre s'emplit. Et puis, doucement, revient le vide. De nouveau l'incursion. Et la désertion. Le plaisir m'a rattrapée. Enfin ! Je tangue. Je tangue. Goélette prête à verser. Prête au saccage de la mer. Non. Elle a trop d'inconnu, la mer. En son opaque transparence, elle cache tout. Les plus petites et les plus grandes choses de ce monde. Les plus petites et les plus grandes vies de ce monde. Elle cache tout. Et la vie et la mort. Elle donne tout. Et la vie et la mort. Qu'aura-t-elle pour moi ? La vie ou la mort ? La vie ou le remords ? Quand elle m'aura larguée à ses rives, serai-je nettoyée ou encore plus sale ?

Des mains dans mon dos. Ma robe dégrafée. Ces mêmes mains coulent sur mes seins. Ses mains prennent ces mains sur mes seins. Et tous ces doigts qui virevoltent sur un pas de bourrée. Je tangue. Je tangue et crains la chavire.

Prise dans toutes mes lèvres. Ma bouche se confond avec mon sexe. Empalée par la volupté. Mon plaisir cherche l'issue fatale. Cherche son naufrage. Mais le naufrage est-il possible sans chavirer ?

Un souffle à mon oreille. Il effleure ma joue. Rejoint ma bouche. Me dispute le sexe dressé. Je bats en retraite. Une main ferme retient ma crigne. La tour de son plaisir aura deux sentinelles.

Puis il me tire à sa bouche. Enveloppe la mienne. Ma croupe monte à son plaisir. Ses dents s'engouffrent dans la chair de mon cou. Sa langue panse la blessure. Ses lèvres l'évanouissent. La nuit m'est moins opaque dans son étreinte. Des doigts s'avancent à mon clitoris. L'assaut est total. Ma pensée n'est plus que ma croupe. Me voici champ de mines sous son souffle. Mon ventre se gonfle. Ma croupe se fend… Éclate en cris…

Le silence rugit. Plus un souffle. Plus un mouvement. Trêve à l'envie. Au désir. Les corps entassés comme après un carnage. C'était bien la mort. La mort de la grande illusion. L'illusion de l'éternité. Du passage sacré à l'éternité. Toujours cette seconde de misère qui nous rattrape et sonne l'échec. Sonne la chute.

L'évasion du désir me ramène à mes hier. Comment faire pour être sans plus d'origine? Sans plus de provenance? Libre et libérée de ma source? Toujours à faire le pied de grue derrière mes envolées, la morale guette, avide, ma chute.

Mon corps gît sur le lit. Recroquevillé. Un frémissement. Une danse arachnéenne sur ma cuisse et ma hanche. Un écho de ces pas de doigts sur ma nuque, dans mes cheveux. Une tarentelle de frissons qui s'étourdissent à mes reins. Leurs caresses me tissent. Des ongles longs dessinent des alvéoles. Comme autant de pièges qui captureront le plaisir. Des lèvres à mon sexe. Des doigts à ma meurtrière. Acte premier, scène deux du saccage. Hypnotisé par cette croupe qui s'offre, il passe derrière elle. Mes yeux s'emplissent de sa frénésie. Il saccade sa croupe. Ses cris glissent sur sa langue et se frappent à mon sexe. Le tableau me fascine. Le plaisir sort du monde des ombres. Il a des visages. Il a des sons.

— Tenez, mes putains. Vous m'excitez. Je veux vous voir jouir toutes les deux. Je veux vous entendre gémir comme des putains.

«Putains». «Putains». Le son se prend dans la toile de mon oreille. Redis-le encore. Comme une écholalie. «Putains». Pour exorciser. Ou pour exciter? Je ne sais plus.

— Je vais jouir… belles putains.

Il coule à son délire dans un cri de fauve blessé et une saccade démente. Les coups sur la croupe de cette femme secouent aussi mon sexe. Mes yeux y puisent des séismes. Et un torrent. Et je tangue. Enfin la grande chavire! Et une fin. Ma fin. Ma mort. Mort ou remords? Mal ou morale? Propre ou sale?

Chapitre 22

La somme de mes damnations vient d'être réduite. Mais cela ne changera rien à ma fin : j'irai de toute façon en enfer. J'étais coupable avant de naître. C'est le genre de chose qui ne se rachète pas. C'est pour moi que l'enfer a été créé. Le Bon Dieu l'a inventé pour moi. Il savait mon mal. Non pas le mal que *j'ai*. Mais le mal que *je suis*.

Tout à l'heure, à table, ma sœur a raconté, sur le ton le plus léger du monde, que sa fille allait, avec d'autres petites filles et des petits garçons, derrière la butte de sable et que, là, ils baissaient leur pantalon et se montraient leurs fesses. Et elle a ri. Elle riait tellement. Elle a même dit qu'elle trouvait naturel que les enfants de cinq ans soient curieux de voir comment les autres sont faits.

Quoi ? C'est normal, ça ? J'aurais été normale, moi aussi ? Et ça a pris dix ans pour que je le sache. Dix ans de honte. Dix ans avant que quelqu'un ose dire que ce n'est pas mal. Que ce n'est pas sale.

Non. Je suis sûre que non. Ce n'est pas pareil. Ce n'était pas pareil. Moi, j'aimais ça. Je voulais qu'on recommence. C'est là le péché. Je suis sûre. Je n'étais pas forcée et je recommençais tout de même. Le désir de recommencer, c'est ça, le péché.

Ma nièce a raconté tout cela à sa mère, tous les petits jeux derrière la butte de sable, comme s'il s'agissait d'un simple jeu de ballon. Elle n'a même pas pensé qu'elle

97

pourrait être punie. Mais comment a-t-elle pu, elle, avoir cette certitude? Comment savait-elle qu'elle n'avait pas joué avec le Mal? Comment ne l'avait-elle pas reconnu, le Mal? Comment pouvait-elle ne pas se sentir sale?

Dix ans! Dix ans! Et voilà que la bénédiction viendrait au bout de ces dix ans? Non. Tout cela est encore plus sale au bout de ces dix ans. Car ce n'était pas pareil. Ça ne peut avoir été pareil. Tout ça reste encore sale. Anormal. Pervers. Horriblement pervers. C'est pour ça que Dieu m'a donné l'enfer.

Et toutes ces mains qui se sont promenées, depuis, sur ma poitrine et entre mes cuisses. Tout ça est rendu trop sale. Quand bien même je voudrais croire que la source primitive était pure, elle s'est trop salie depuis. Alors, tout est sale.

Je ne suis jamais consentante. Mais c'est quand même moi qui laisse faire. C'est moi qui vais au rendez-vous. C'est moi, la coupable. C'est sur moi que ces mains se promènent. C'est moi qu'elles salissent. C'est sur moi que ces mains s'essuient pour rester, elles, bien propres!

L'esprit trop faible pour m'échapper. Pour m'enfuir. Je reviens, docile, chaque semaine à ma prison. Juste pour qu'on m'aime. Dans l'espoir, chaque fois renouvelé, qu'on m'aime un peu. Mais on ne m'aime jamais. «Faire l'amour»... je n'ai jamais entendu quelque chose d'aussi sémantiquement faux.

Je serai toujours enfermée. Emprisonnée dans ma honte. Claustrée dans ma saleté. Verrouillée dans ma faiblesse. Séquestrée dans l'enfer du Bon Dieu.

Chapitre 23

— Bonsoir, Véga !

— Hein ? Ah ! c'est toi ! Tu m'as fait faire le saut. Toute une surprise ! Tu ressuscites sans préavis à présent ? J'avais pris l'habitude des rendez-vous annoncés.

— Ça te gêne ?

— Non, je te taquine. Pourquoi n'es-tu pas monté au bar pour m'attendre ?

— Pour mieux te rêver peut-être !

— Hé, hé, hé…

— Aussi parce que trop chaud et trop de monde. J'ai pensé, avec la chaleur suffocante qu'il fait, que tu n'arriverais pas à dormir après le boulot et qu'il te plairait bien d'errer au bras d'un chevalier servant.

— Oh ! Je ne te savais pas tant d'altruisme ! Tu te tapes deux heures de route pour m'aider à aérer ma nuit dans mon bled perdu ? Ce ne serait pas plutôt une insomnie que tu cherches à divertir ?

— Je n'ai jamais d'insomnie : que des envies de ne pas dormir.

— Ça fait longtemps que tu m'attends ?

— Très longtemps. Très, très longtemps.

— Aaah…

Message reçu. Message longtemps espéré. Mais message que je dois refuser. Car cela ne se peut.

— Allez ! viens, monte.

— On ne marche pas ?

— L'errance n'a pas le pied pour guide.

— Sais-tu ? tu as l'air d'une planète Mars, ce soir. Je t'avoue que c'est assez radical comme changement d'atmosphère. Je viens de passer six heures dans la constellation des grosses bières tablettes... c'est... je suis... euh... donne-moi quelques minutes, O.K. ? Tu navigues sur une onde que j'ai peine à capter. J'ai besoin de quelques minutes de silence.

Toute cette douceur. Dans l'air de la nuit. Dans son regard surtout. Ses paroles. Comme si la nuit avait un masque d'amoureuse. Pour dissimuler son cœur d'amoureux. Et ces sourires si tendres. Complices de ma vie.

Où me mène-t-il ? Il a le regard si doux.

La route serpente, comme valse, dans les collines. Ma chevelure au vent se prend dans les parfums lourds de cette nuit humide. Des parfums qui grisent. Ah ! si je pouvais me fondre dans les coulées de vent qui tourniquent sur l'ombre !

Comme c'est étrange, cette absence de nécessité de parler avec lui ! Comme le silence sait se faire entendre serein ! Sans vide. Nul besoin de le divertir, ce silence.

Chaque fois, avec lui, les nécessités de l'ordre « normal » n'arrivent pas à germer. Nul besoin de raconter. De me raconter. De questionner, non plus. Le silence nous épargne l'inquisition. Cette malsaine inquisition qui ne supporte pas les mystères. Elle a mis à mal et mis à mort tant de magie dans ma vie, cette inquisition. À traquer frénétiquement et trop rapidement la provenance, l'origine, la source, ce n'est pas une torche qu'elle allume dans la nuit, ce sont tous les feux de la ville qu'elle allume en même temps, ne laissant plus de distinction entre le jour et la nuit. Du blanc et du noir, on passe inévitablement au gris.

Qu'il est bon, le vent qui rend aveugle aux points de repère surannés. J'avance confiante. Peut-être naïve. Ce pays semble avoir tellement d'écho au mien. À mon pays d'exil. La frontière se dresse à sa main et à son œil.

Il arrête la voiture. Le vent se tait. Quel spectacle! Ce que la nuit noire peut receler de clarté blanche et scintillante!

— Je voulais contempler le ciel avec toi, douce Véga. Viens.

Son bras, tendre, se fait long autour de moi. Ma taille se fait petite dans ce demi-cercle. Fragile sous sa poigne douce et ferme. Mes formes semblent mouvantes.

Devant nous, un miroir pour les soleils de nuit. Un miroir serti de sauvages montagnes qui se coulent en gorges profondes comme une frange à un jupon.

Je m'assois sur la roche, les pieds à fleur d'eau. Il s'assoit derrière moi, ses bras m'enserrant.

— J'aime quand l'eau invente un mouvement, une danse à la lune. Quand la lune est sur le point de se retirer, en chevauchée derrière des collines, l'eau se fait toujours étale. Comme si, en fait, c'était la lune qui faisait danser et frissonner l'eau.

— Je n'étais jamais venue ici. Tu me fais découvrir des coins de mon pays!

— Oui, je crois. Plus que je ne l'aurais cru, même.

— Qu'est-ce que tu crois connaître?

— Tes cerbères, Véga. Ce n'est pas que je les connaisse, c'est que je les sais.

— Ah, oui? T'es un peu prétentieux, non?

— Je leur touche parfois. Tu en as déjà malmené quelques-uns à la faveur de noirceurs ténébreuses, noyées d'alcool.

— Et selon toi, cher devin, Véga réussira-t-elle à assassiner tous ses cerbères?

— Je ne sais pas. Je l'espère pour elle. Je l'espère pour toi, Véga. Ils sont si nombreux. Il y a tellement de gardiens qui gardent ton âme qu'en fin de compte, ils ne la gardent pas, ils l'emprisonnent. Il y a le gardien du plaisir, celui de l'abandon, de la jouissance ostensible. La lumière aussi. Le jour. L'air libre hors de la caverne.

— Tu crois que c'est à cause de la lumière que je m'évade au matin ?

— Je ne crois rien, Véga. Je sens, tout simplement. Et j'entends. J'entends ce que dit ta peau à mes mains. Ce que dit ton sexe au mien. Ce que ton désir hurle au mien. Ce que vocifère ton délire au mien.

— Est-ce que monsieur-je-sais-tout-et-je-sens-tout pourrait me dire ce que lui disent mon délire et mon désir ?

— Ne t'emporte pas, Véga. Je ne critique pas. Je dis simplement que, si un jour meurent les cerbères, tu pourras mettre des soleils dans ton ciel de midi comme tu arrives parfois à en mettre dans celui de la mi-nuit.

— Et ces cerbères, ils te donnent envie de te sauver ?

— Jamais je ne me sauve.

— Ah ! voyez ce preux chevalier qui va délivrer la princesse enfermée à double tour dans la tour !

— Le cynisme, comme les railleries, Véga, ont toujours leur part de vérité.

— Pourquoi tu ne t'en vas pas ? Ça ne doit rien avoir d'intéressant de sentir toute cette retenue, toutes ces digues sous tes mains ?

— J'aime les obstacles, les difficultés. J'aime le combat. J'aime lutter.

— Ah ! le bon peuple de Rome aime les jeux, donnons-lui-en. Que Jules, dans sa grande et légendaire magnanimité, tourne le pouce vers le sol pour qu'on mette à mort mes cerbères ! Franchement ! Pour qui tu te prends ?

— Tu veux t'en aller ?

— Oui. Oui, je veux m'en aller.

— Allez ! viens, je te raccompagne.

— Non. Je veux rester encore. Je veux rester ici, mais je veux m'en aller de tes mots. O.K., tu as raison : il est vrai, mon combat. Mais je fais ce que je peux. Je fais ce que je peux avec ce que je suis, avec qui je suis. Et je suis un combat. O.K ? Alors, basta ! Arrête ! Je ne veux plus en parler. Je veux juste un peu de silence. Juste le silence des étoiles. C'est la seule place au monde, un lac serti de montagnes, où je ne mène aucun combat. Alors, ne me fais pas la guerre ici. C'est ma seule oasis. Ma seule vraie paix.

Il sait. Il sait ma nuit. Il sait que j'ai déjà eu quelques victoires. Mais des victoires obscures parce qu'obscurcies par la nuit. Par les voiles. L'alcool. Les masques. La drogue. Les vapeurs.

J'aimais croire qu'il ne savait pas mes démons. Mais maintenant? Je n'oserai plus redescendre dans l'arène de mes combats sous son regard. Je le sentirai m'épiant. Je me regarderai me combattre à travers ses yeux. Déconcentrée, je perdrai tout avantage sur mes cerbères. Ils avanceront plus avant. Je perdrai, à leurs mains, tous les petits territoires que j'avais chèrement conquis. Même la nuit ne me sera plus d'aucun secours. Elle ne sera plus jamais assez noire pour qu'on ne m'y voie pas me battre. Je ne pouvais être qu'un belluaire de nuit. Tout est foutu maintenant. Que de leurres! Comment ai-je pu imaginer que ce combat se ferait sans tapage? Sans claquement? Et sans rumeur? Il a tout entendu.

Il n'aurait pas dû parler. Il n'avait pas le droit de parler. S'il s'était tu, peut-être aurais-je eu le temps d'y arriver. En silence. Me disant qu'il n'en eût rien su jamais. Qu'il s'en fût à peine douté. Mais la pudeur m'étrangle. Comment livrer ce combat en plein jour, en plein soleil? Comment ne pas avoir honte? Honte d'être si imparfaite. Honte d'annoncer — par des parfums paradisiaques — un jardin d'une luxuriance mirifique, et de ne donner à voir qu'un champ de désolation où ne poussent, épars et timidement, que quelques spécimens bâtards.

Il n'aurait pas dû parler. Tout est foutu. Je les sens déjà reprendre possession de mon corps. Mes seins sont de nouveau assiégés. Je les sens qui rôdent, tous mes cerbères. La troupe fait marche le long de ma colonne. Le saccage de ma fesse est imminent. De là, ils vont se glisser dans l'antre. Toutes armes dehors, ils vont piller. Dévaster. Puis, finalement, suturer, clore, fermer, boucler. Et ramener la douleur.

Le soleil taquine l'horizon à travers la frange montagneuse. Tout m'assassine. Je retourne à ma nuit. À *la* nuit. Là s'achève l'histoire de la nymphe qui rêvait de courir les bois, les vals et les monts, mais que la peur du grand méchant loup condamna à rester hamadryade toute sa vie.

Chapitre 24

— Est-ce que tu lui passes le doigt, toi, à ta blonde?

— Bien sûr! Qu'est-ce que tu penses! Celui-là. C'est celui-là qui va le mieux. J'ai déjà essayé les autres, mais, je te le dis, c'est celui-là qui va le mieux.

Hein? Quoi? Un doigt? *Les* doigts? Mais où? Là? Où ça, là? Ils entrent leurs doigts là? Pourquoi? Ça sert à quoi? Si c'est là où je pense, ils sont donc bien cochons. Dépravés. Et il fait ça à sa blonde en plus! Pourtant, sa blonde, ce n'est pas une putain. Ça ne peut pas être une putain, puisqu'elle sort seulement avec lui. Mais pourquoi il entre ses doigts? Ça sert à quoi?

Moi, je ne me laisserai jamais entrer un doigt là. Voyons! Ce que ça peut être bizarre, un gars! Pourquoi on ne pourrait pas juste s'embrasser? C'est bon, ça. Et puis, en plus, c'est correct. Ça dérange rien. Ça salit rien. C'est même normal.

Entrer des doigts là! Mais comment ils font pour imaginer ça?!

Et pourquoi ils le disent à tout le monde? Pourquoi il faut toujours que les gars racontent ce qu'ils font dans le noir? Pourquoi il faut toujours que tout le monde le sache? Ça leur donne quoi?

Mais ça veut dire que tout le monde sait qu'Yves a touché mes seins. Qu'il les a embrassés. Et qu'il a mis sa main dans mon pantalon pour toucher mes fesses. Ils savent

105

tout aussi avec Daniel l'an dernier. Tous les baisers, toutes les caresses. Même si je n'en ai voulu aucune. Que j'aie voulu ou non, ça ne compte pas. C'est l'action qui compte. Le score. Son score à lui.

Ils croient tous que je suis une putain. Ça se sent. Je le lis dans leurs yeux. C'est écrit en grosses lettres. C'est pour ça qu'ils ne se gênent pas pour raconter toutes ces choses. S'ils pensaient que je ne suis pas une putain, ils ne diraient pas cela devant moi.

Mais comment ils font, eux, pour ne pas se salir? Ils en parlent, ils le crient et, malgré tout, ils restent encore tout propres. Même les doigts qu'ils ont entrés là sont propres! Et plus ils sont propres, plus je suis sale. Francine aussi doit être sale si son amoureux entre ses doigts comme ça. Ce que je ne comprends pas, c'est que, l'autre jour, ils ont dit qu'ils se marieraient dans trois ans. Si Francine est une putain, il ne peut pas vouloir la marier. Je suis sûre que son amoureux invente tout. Je suis sûre qu'il n'a jamais mis ses doigts là. Francine est trop correcte pour s'être laissé «passer le doigt», comme ils disent.

Ils ne savent plus quoi inventer pour se rendre intéressants. Mais c'est tout de même étrange, ce qu'ils réussissent à inventer. Et si c'était vrai, tout ça?

Ils sont toujours en train de se vanter de choses et de parler de sexe, mais ils en parlent toujours comme si c'était dégueulasse. Pas leur sexe, mais celui des filles. Ils disent souvent que ça sent le fromage. À l'école aussi, j'ai entendu ça. Mais peut-être que ce ne sont pas toutes les filles qui puent. Peut-être qu'il y en a qui peuvent faire quelque chose pour ne pas puer. Mais quoi? À qui est-ce que je pourrais bien demander ça? À personne, comme d'habitude. Et si mon sexe puait? Comment vérifier? Déjà que c'est quelque chose de sale, s'il faut en plus que ça pue!

Mais il y a quelque chose qui ne marche vraiment pas dans leurs histoires. La semaine dernière, il y en a deux qui ont dit qu'ils léchaient le sexe de leur blonde. Avec la langue! Non, mais... d'abord, c'est quoi, l'idée de lécher un sexe ? Les doigts, la langue. Pouah ! Si c'était vrai que ça pue, les gars ne mettraient pas leur langue là. Voyons !

Je ne comprends pas. Rien. Rien. Je ne comprends rien. Ils veulent marier leurs blondes, mais ils font plein de cochonneries avec elles. Ils les salissent encore plus que moi. Les doigts, la langue. Puis ils disent que c'est dégueulasse, un sexe de fille, que ça pue. Mais ils vont se marier avec elles. Ça veut dire une seule et unique chose dans ce cas-là. C'est que, même quand il y a l'amour, on continue de se salir. Même quand quelqu'un nous aime, la saleté continue de s'accumuler. L'amour, ça nettoie rien du tout.

Chapitre 25

Le spectacle va bientôt commencer. C'est la première fois qu'il me donne un rendez-vous avec une heure précise. Il m'a fixé une heure, mais s'en est-il fixé une pour lui ? La rumeur de la salle s'évanouit doucement sous le decrescendo des lumières. Les sièges de chaque côté de moi restent vides. Simple hasard ou aurait-il acheté trois places ? Eh, oui ! Trois ! Encore trois ! Qu'est-ce qu'il peut bien mettre là-dedans, ce trois ?

Il ne viendra pas. C'est clair. Après tout, il ne m'a donné aucun « rendez-vous ». C'est moi qui ai mal déduit. Quand le cœur commence à s'aveugler, on y voit moins bien. Il n'y avait pas de rendez-vous physique ce soir. Ce n'était pas une invitation dans mon casier postal. Il n'y avait qu'un billet. Le rendez-vous, c'est moi qui l'ai inventé.

Il y sera pourtant sans y être. Ma pensée tourne autour de lui. Comme le papillon de nuit s'étourdit autour du réverbère. La raison s'absente.

Mais pourquoi suis-je venue ? Pour les promesses d'enivrement de ce spectacle ? Faiblesses ! Que de faiblesses ! Je le rêve encore. Je nous rêve encore. Et pourtant je nous sais impossible maintenant. Je ne peux plus aller dans son arène. Je ne peux plus approcher sa nuit. Comment le lui dirai-je ? Il le sait certainement un peu. Alors, pourquoi s'obstine-t-il ?

La musique monte. Dominante. Elle prend tout l'espace. Les notes passent de la guitare à mon ventre. À ma poitrine. Mon oreille ne sert plus de rien. Les voilà qui arrivent : couleurs flamboyantes, fleurs rouge sang vivant accrochées à la chevelure de nuit, lissée et luisante. La jupe large et virevoltante. Jupes qui dansent autour de la danse. Dos arqués à l'offrande. Et les hommes maintenant. Aux talons qui martèlent. L'écho est à ma poitrine. Ils martèlent à ma passion. Et les battements de mains. À contretemps. À contretemps de la raison. Battements qui appellent les corps à s'immoler au feu de la nuit. Hypnotisée. Je paralyse.

Il le savait. Il l'avait reconnu dans mes mots. Dans mes danses, même arabes. Dans ce fantasme raconté au premier soir. Une chose me dépossède. Et totalement. Ce feu gitan. Cette flamme de danse. Cette flamme de chant. Flamme de fusion à la nuit. De fusion à la vie. Ce *sans foi ni loi.* Que celle de la musique. La musique qui met feu à la nuit. Coin de victoire sur les ténèbres. Un triomphe qui m'épouse. Qui m'embrase. Me consume. Me ramène à ma nuit. Ma première nuit. Là où se meut la quintessence. Flamme pure sur un néant. Née du néant. Mon néant.

Chapitre 26

— D'où est-ce que tu reviens ?

— J'étais avec Carole.

— Seulement Carole ?

— Oui.

— Tu es sûre que tu ne me mens pas ?

— Traite-moi donc de menteuse.

— Pourquoi tes joues sont rouges ? Regarde tes joues.

— Parce que j'ai couru pour rentrer. Parce que j'avais peur d'être en retard.

— Mets-toi bien ça dans la tête : tu es mieux de ne jamais me revenir enceinte. Compris ?

— Pourquoi tu me dis ça ? Pourquoi je reviendrais enceinte ? J'étais juste avec Carole.

— Ne fais pas l'innocente. Regarde tes joues. À part ça, la réputation de ta Carole, elle est bien faite. J'ai su qu'elle couchait avec Michel Sicard.

— Elle ne couche pas avec lui. Ce n'est pas vrai, cette histoire-là.

— En tout cas, je te le dis, sa réputation est faite. Et ce n'est pas à te tenir avec elle que tu vas garder la tienne.

Quoi ? Il faudrait que je laisse Carole ? Ma meilleure amie ? Carole n'est pas une putain. Oui, c'est vrai qu'elle couche avec Michel. Mais elle l'aime. Ils sortent ensemble. Elle ne couche avec personne d'autre.

Ma mère n'aime pas Carole. Elle ne l'a jamais aimée. Parce que Carole est plus vieille que moi. Seulement deux ans de différence, qu'est-ce que ça fait ? Qu'est-ce que ça peut bien lui faire, à ma mère ? Elle voudrait que je me tienne avec des filles plus jeunes que moi. De cette façon, elle aurait « sa » conscience en paix et saurait « ma » moralité tranquille.

Rouges. Rouges. J'ai les joues rouges, et puis après ? Tout le monde a les joues rouges un jour ou l'autre. Quand il fait trop chaud. Quand il fait trop froid. Quand on court trop vite. Quand on est trop en colère. Oui, oui, oui et encore oui, je suis allée dans la cabane ce soir. Ça aussi, ça rendrait les joues rouges ? Pourquoi ? Pourtant, je ne bouge même pas.

Ma mère me prend pour une putain. Ça se sent dans sa voix. Dans ses yeux aussi. Il y a de la honte dans sa voix. Je sens que je salis sa maison. Je salis son nom. Son image. Sa conscience.

Mais, demain, si Yves veut me voir dans la cabane ? Si je dis non, il ne m'aimera plus. Je sais que peut-être il ne m'aime pas encore, mais, supposons qu'il m'aime, si je dis non, c'est certain qu'il ne voudra plus m'aimer. Mais si je dis oui, c'est ma mère qui ne m'aimera plus. Elle non plus, je ne crois pas qu'elle m'aime, mais, supposons qu'elle m'aime, elle cessera de m'aimer pour toujours. Pourquoi ce dilemme ? Pourquoi est-il si puissant ? On dirait que tout l'amour du monde passe par mes cuisses. Les ouvrir, c'est perdre. Les fermer, c'est perdre aussi.

Et le Bon Dieu, lui ? Comment il m'aime, le Bon Dieu ? Je le sais trop bien. Le Bon Dieu n'a pas d'amour pour les putains. Si Jésus a pardonné à Marie Madeleine, c'est parce qu'elle s'est repentie. Mais moi, moi, je ne suis que récidive. Et comble pour ma damnation : l'amour humain m'importe plus que l'amour divin. Je suis damnée. Mes cuisses s'ouvrent sur l'enfer.

Chapitre 27

Qu'est-ce que c'est que ça ?! Un chauffeur! Non mais, il ne manque pas d'imagination, celui-là! C'est une chance que je n'aie pas un surnom trop abracadabrant, car le chauffeur aurait l'air un peu idiot avec son petit tableau au bout de son bâton. Il n'est pas venu au spectacle, mais il m'attendait. Je le sentais. Je savais bien qu'il viendrait d'une façon ou d'une autre.

— Pardon, monsieur, c'est moi, Véga.

— Si vous voulez bien me suivre, madame Véga. On m'a demandé de vous conduire au terminus d'autobus.

— Au terminus?

— Oui. C'est ce qu'on m'a dit. On m'a précisé que votre autobus de retour est à vingt-trois heures quarante-cinq.

— Au terminus? Vous êtes certain?

— Oui. Certain.

Il doit m'attendre dans la voiture.

Non. C'est quoi, son manège? Pourquoi il n'est pas là? À quoi il joue? Encore déçue, ma belle. Je m'étais pourtant juré de ne pas m'entourer d'attentes. Voilà qu'elles pointent comme tulipes sous la neige.

Prévenant. Galant. Mais absent. Tellement absent. Un jeu qui me devient difficile. Toujours plus difficile à mesure que l'étau du charme se resserre.

Peut-être est-ce de la frime? Peut-être que ce chauffeur

ne me conduira pas au terminus, mais chez lui ? Encore du rêve, ma belle, encore ! Tu le connais, le trajet qui mène au terminus. Tu le connais, le trajet qui mène à son chez-lui. Le chauffeur roule à contresens de mon désir.

Le terminus est en vue. Vite que je retourne au souvenir de ces danseurs gitans. Qu'il me soit refuge à mes attentes déçues. J'étais si pleine de leurs danses. Et me voilà si vide d'elles. Parce que l'espoir de le voir a tout avalé. Tu iras sagement t'asseoir sur une banquette, Cendrillon déçue de ne pas avoir été conviée au bal de cette nuit. Pleurnichant encore une fois sur ton incapacité à vivre sans attentes. Sans les attentes « assassines ». Ce sont elles qui tuent. Qui tuent le présent. Lui ravissent les couleurs joyeuses qu'il pourrait avoir en toute saison. Les attentes dévastent. Pillent. Chapardent la moindre petite parcelle de bonheur présent. Elles ramènent tous les hui à demain. Et jamais le temps ne se pose. Jamais l'instant ne s'épanouit. Pour une fois comblée, l'attente sera toujours mille fois déçue.

L'attente. Elle crée tout d'avance. L'histoire s'écrit par anticipation. Plus de place pour l'imprévu. L'inattendu. La folie spontanée. Tout devient contrôlé. Le hasard est désigné à la vindicte. L'attente le pourchasse. Le guette. Le piège. L'écartèle. L'occit.

Elle veut le contrôle absolu, l'attente. Elle veut être roi et maître. Souveraine. Et elle n'offre que des larmes. Que l'amer. Que la hargne.

Elle meuble le futur. Elle est le contrôle. Ne jamais se laisser surprendre. Jamais d'inconnu. Il me semblait pourtant avoir réussi à semer cette meurtrière nécessité du contrôle. Du moins depuis que je l'ai rencontré, lui. Il n'a eu que des surprises pour moi. Que de l'inconnu. Mais ce besoin vicieux revient par-derrière me reprendre au piège, s'immisçant par la porte de l'attente.

J'ai besoin de lui pour m'apprendre. Pour me surprendre. Pour me prendre. Totalement. Sans plus de contrôle.

Le chauffeur ferme la vitre qui sépare nos deux ban-

quettes. Eh? Pourquoi? La portière s'ouvre. Qu'est-ce...?
Un fauve déchaîné. Il se rue sur moi. Me renverse. Ma tête
est enfoncée dans l'angle de la portière et de la banquette.
J'entends ce bruit. Ce cliquetis de sa ceinture. La voiture
redécolle en trombe, m'enfonçant davantage dans le siège.
Sa poigne me tient immobile dans ce coin. Il a relevé ma
jupe.

— Tu ne mets plus rien en dessous de tes jupes, petite
salope? Regarde bien ce qu'on leur fait, aux petites aventu-
rières qui se promènent la fesse au vent. Je vais te montrer
comme il est puissant, le souffle du vent.

Ses ongles s'enfoncent à la jonction de ma fesse et de
ma cuisse. Écartant mon sexe. Encore. Encore plus.

— Écoute ce bruit, Véga. Écoute. C'est le son des putains. Écoute. Écoute bien. Toute cette eau à ton sexe. Il n'y
a que les putains qui mouillent comme ça.

Son sexe s'est enfoncé d'un coup. Sauvage. Sans préve-
nance. Son bassin bat ma croupe. Ma tête se fracasse sur la
portière. Je crie. Sa main agrippe mes cheveux. Renverse
ma tête en arrière. Encore un cri s'échappe à ma gorge.

— Tu peux crier. Allez! crie. Crie, que je te défonce
encore plus. Tu joues les putains qui ne se laissent pas
prendre. Elles me font bander, ces putains-là. Allez! Crie
un peu. Plus fort. Plus fort. Comme ça, oui. Prends ça.
Tiens. Maintenant, crie, que je coule. Que je coule bien.
Encore. Aaaaaah. Oui...

Il se retire sec. Rustre. De nouveau ce cliquetis. Sa main
me tient toujours recroquevillée dans le coin. Je ne peux
tourner la tête. La portière s'ouvre. Sa main relâche sa
prise. La portière claque.

Mon corps meurtri reste affalé sur la banquette. La
voiture redémarre. On l'a finalement eu, ce rendez-vous.
À sa façon. À son heure. À son humeur. À sa fantaisie. À sa
soumission. La fera-t-il totale, un jour, cette soumission? Le
désir de vaincre. C'est ça qu'il avait le premier jour au
fond de l'œil. C'est encore toujours cela qu'il a au fond des

115

yeux. Comme une promesse. Un engagement solennel à asservir mes cerbères. Leur agonie n'est peut-être plus très lointaine. Je l'ai senti, ce couteau qu'il est venu faire siffler à leurs gorges. Aux gorges de leurs trois têtes! Ils tremblent encore de ce dernier assaut.

Chapitre 28

Il aura réussi à me faire redescendre dans l'arène! Artiste martial! Bien inspiré de l'enseignement de son père. Il s'y connaît en combat. Il n'y avait que le fils de Mars pour y arriver. Il n'y avait qu'une avenue pour m'emmener à nouveau dans les sables. C'était de m'y jeter de force.

Mais si d'ores et déjà mes cerbères se mêlaient de jouer de fines ruses? S'ils décidaient de l'attendre constamment? Sans répit. Guet permanent. Pour réduire à néant toute possibilité de surprise. Car c'est leur existence qu'ils défendent si jalousement. Il ne se trouve que le fils de Mars qui ait réussi à leur faire un tant soit peu courber l'échine. Plaise à son père qu'il ait l'entêtement des dieux anciens pour aller jusqu'au bout!

Mais cet entêtement doit lui venir aussi d'un autre dieu. Car ce ne peut et ce ne doit être qu'une guerre pour la guerre. Je veux rêver que Vénus l'a caressé sous sa cotte de mailles. Qu'il en a frémi.

Me voilà bien passive. Bien soumise. Attendant d'être délivrée. Que m'est-il arrivé? Il aura fallu qu'un guerrier fasse claquer son talon à leurs oreilles pour qu'ils se réveillent? Ou pour qu'ils *me* réveillent... Les autres, avant lui, étaient venus en demandant pardon. En s'excusant presque. Marchant par de tortueux détours pour taire le bruit. Pour étouffer la clameur. Pour ne réveiller ni Dieu ni

diable. Ni plaisir ni remords. Tout restait endormi. Somno-
lent. Somnambule. Comme sans vie. Et sans mort.

Mais toute cette passivité maintenant, d'où me vient-
elle ? Je ne regarde même plus le combat. Mes yeux restent
clos. Et si la guerre n'avait pas lieu ? Je resterais dans cette
attente vide ? Et pendant combien de temps ? Combien de
temps mettrais-je à savoir que la guerre n'aura pas lieu ? À
combien de jours évaluerais-je le temps qui lui est nécessaire pour fourbir ses armes ? Pour polir ses stratagèmes ?

Et j'attends. J'attends. Est-ce que je ne tue pas l'attente
à force de m'en enivrer ? De m'en soûler ? Ne meurt-elle
pas d'ivresse ? Du délire qui se fait assassin à force d'en être
nourri ?

Chapitre 29

— Allô ?

— Bonsoir !

— Qui parle ?

— Le désir.

— Eh ! Salut ! Je ne reconnaissais pas ta voix. Comment as-tu eu mon numéro de téléphone ?

— Tout s'achète, Véga !

— Ouais, ouais ! Surtout si celui qui vend est le propriétaire un peu alcoolo du bar où je travaille, à qui on a offert six, sept cognacs. Je me trompe ?

— Tu es perspicace.

— Tu n'as pas peur de réveiller les gens en appelant à une heure pareille ?

— C'est justement ce que j'espérais : te réveiller.

— On s'amuse à jouer les incubes maintenant ?

— Ce serait plutôt le contraire.

— Je ne te suis pas.

— Je t'appelle parce que j'ai envie que tu joues les succubes sur ma nuit. Je veux que tu me parles. Je vais fermer les yeux, et toi, tu vas me raconter. En fait, je dormirai, et tu dessineras mon rêve.

— Tu veux que je te raconte quoi ?

— Ma foi, Véga, ton imagination se serait-elle tarie ? Je veux une histoire qui me fera jouir pendant mon sommeil. Je veux que tu y mettes tout, tout ce que tu as dans le ventre et dans la tête. Tout ce qui allume le ventre et fait exploser ta source. Je veux te savoir, te sentir mouillée au bout du fil. Je te veux putain et salope.

— ...

— Je t'offusque avec mon « putain » servi à froid ?

— Tu voulais que je te raconte une histoire ?

— Véga, tu ne réponds pas.

— Je sais. Et je ne répondrai pas non plus.

— Véga, s'il te plaît ! Pourquoi ?

— Basta ! Tu ne me referas pas le coup du lac. Ciao !

J'ai raccroché. Basta ! Basta !

* * *

Le téléphone sonne de nouveau.

— Oui ?

— O.K., Véga, plus de questions. Promis.

— Rappelle demain. Ce soir, tu as blessé un peu la magie. Je n'ai plus de mots. Je n'ai plus d'histoires.

— Bien. J'aimerais que ce soit toi, Véga, qui m'appelles demain. Demain matin. Dès que tu te réveilleras. Avant même le café.

— D'accord.

— Promis ?

— Juré, craché.

Chapitre 30

— Tu dors?

— Oui, je dormais. J'ai attendu ton appel ce matin.

— Je sais. Je n'étais pas capable. Mon histoire avait besoin de la nuit pour exister. Je ne peux pas encore inventer des histoires de matin.

— Je sais.

— J'ai horreur quand tu dis « je sais ». J'ai horreur que tu saches.

— Ça aussi, je le sais!

— Allez! s'il te plaît, n'ouvre pas cette porte. Rendors-toi, que je te raconte. Fais de beaux rêves! Ça commence comme ça: un jour, je reçois un colis. Je sais qu'il est de toi. Je l'ouvre et y trouve un dessous en cuir noir. Du genre bas-fonds d'Amsterdam. Avec des cuissardes. Noires aussi.

— Comment est le dessous?

— Ah non! Si tu ne dors pas, ce n'est pas du jeu.

— C'était juste une petite crise de somnambulisme!

— Ne m'interromps plus, je t'en prie. Le dessous est tout en cuir souple. C'est un maillot une pièce. Le cou est sanglé par une lanière de cuir rattachée au reste du maillot. Les seins sont laissés à découvert. Du haut de la fesse au bas de la vulve, il y a une fermeture éclair. Agrafée à ce dessous, il y a une petite note. Tu me convies à un rendez-vous, mais chez moi. Ce jour arrive. Je suis curieuse et excitée. Craintive aussi.

— Ça, je le sais.

— Si tu m'interromps encore, je te raccroche le téléphone au nez.

— Promis, je ne dis plus rien.

— Ça sonne à ma porte. J'ouvre. Deux femmes sont sur le seuil. Elles sourient et entrent sans rien dire. L'une me colle contre le mur et commence à m'embrasser. L'autre déboutonne ma robe. La fait glisser par terre. Elles jouent à quatre mains sur ma peau et sur le cuir. Une bouche vient à ma bouche, l'autre descend à mon sein. Mordille le mamelon pointé. Descend encore. Une main fait glisser la fermeture éclair. Découvre mon sexe. Un souffle sur mon sexe trempé. Un frisson électrise ma colonne en va-et-vient. Je t'imagine m'imaginant. Et je mouille. Je mouille de te savoir bandé. Excité.

« Le souffle à mon sexe se tait. L'humide touche à l'humide. L'onde se fait encore plus trouble. Des vagues se lèvent. Les flots se bousculent. Ma jouissance se balade à fleur de peau. Mon corps se tend. Tout s'arrête soudain. Elles reculent. Report obligé, ordonné de ma jouissance. Elles me disent que je ne devrai pas jouir avec elles, ni par elles. Qu'elles ne sont là que pour m'exciter. Pour que mon sexe baigne dans un lac de désir.

« Elles restent éloignées de moi. Les bras se mêlent. Leur souffle. Leurs langues. Les mains glissent sous les robes. Dans les corsages. Entre les cuisses. Les vêtements s'évanouissent par terre. Des dentelles rouges et noires dissimulent leur sexe et leurs seins. Des genoux se plient. Une bouche descend à un sexe. Dans la chute, les mains s'agrippent aux seins. Une tête se renverse. Des sons fusent. Le son du plaisir. Des cris sourds. Puis aigus. Et puis, toutes nuances confondues, un seul cri. J'aurais voulu ce cri pour moi.

« Leur plaisir coule en sillons sur ma cuisse. Je voudrais fermer mes jambes et jouir aussi. Je sais que si je serre les cuisses assez fermement, je peux jouir sans me toucher. La tentation est vorace. Mais je ne veux pas jouir dans l'ombre. De l'eau, encore de l'eau qui s'arrache à mon ventre.

« Elles se rapprochent de moi. Celle aux dessous noirs a un godemiché à la main. Le promène entre mes seins. À leur pointe. Le descend à mon sexe. Qui le réclame si fort. Elle l'ouvre, doucement. Mon sexe se referme sur lui. Sauvagement. Comme pour l'engloutir. L'attirer plus loin. Plus loin dans mon plaisir. Il faut qu'elle le pousse plus loin. Je la supplie. Elle reste sourde. Et continue de m'agacer. Puis, elle s'attache le godemiché à la taille. L'autre lui offre son sexe. Elle s'y engloutit comme un homme. Encore leurs cris. Ils résonnent dans mon ventre. Et les cris de mon ventre enterrent les leurs. Mon sexe me fait mal. Il implore un soulagement. Je ferme les yeux. Et tu apparais dans mon désir. Avec ton sexe bien dressé. Ton sexe que je quémande entre mes cuisses. Sauvage et violent. Avec ta patte sur ma hanche et mes seins.

« À trop de désirs au ventre, l'astasie me gagne. Plus mes jambes se font humides, plus je les sens lourdes. Elles m'entraînent vers le sol. Les deux femmes reviennent à moi. M'emmènent sur le lit. Elles enlèvent mes dessous et les leurs, puis roulent en couleuvres sur ma poitrine. Mon ventre. Des seins viennent à ma bouche. Des doigts jouent sur mon sexe. Glissent et s'enfoncent. De nouveau le godemiché. Et une langue en même temps. Et ces mains sur mes seins. Je sens que tout va éclater. Elles viennent de sentir la frontière du passage irréversible. Elles s'arrêtent net. Je veux serrer mes jambes. Elles le sentent et les retiennent éloignées l'une de l'autre, me gardant intact mon supplice.

« J'entends des pas. Je reconnais tes pas. Je n'ai pas entendu la porte. Tu es là depuis quand ? Depuis quand t'excites-tu de nos jeux ? J'entends ta ceinture. L'une des deux femmes va vers toi et te déshabille.

« Et tu commences à parler. Un raz-de-marée secoue ton ventre, et la violence se déchaîne dans ta gorge. Puis elle roule sur ta langue. Ton désir assaille mon oreille. Un désir brut. Un désir de source. Rustre aussi. Et sans manières.

« Caressé par ces femmes, tu t'engouffres en moi. Affamé. Puis te retires, brusquement. Repoussant la frontière. Jeu de serpents et d'échelles. Mais, ici, c'est le dernier arrivé qui gagne. Qui gagne le plus.

« Tu me tires du lit. M'adosses au mur. Toute ta brutalité converge en ton bassin. Le secoue. Les sensations t'hypnotisent. Elles sont sur le point de t'abattre, et tu le sais. D'un coup franc, ton sexe atteint le fond de mon ventre. Seule ta secousse me retient au mur maintenant. Mes jambes encerclent ta taille. Ton désir est sur le point de s'échouer. »

— Véga !

— La lutte est féroce à ton visage. Presque souffrance.

— Encore, Véga, encore !

— D'ici, tu ne peux plus reculer. D'ici, c'est moi qui te fais prisonnier. À compter de cette seconde, c'est moi qui contrôle ta fin. Et je te la consens, cette fin. Enfin ! Ton cri fend mon ventre et mon oreille.

— Aaaah !

Le silence nous revient. Fidèle. Son souffle est encore haletant au bout du fil.

— Tu reviens de loin ?

— Merci, Véga, pour ce voyage ! J'aime tes histoires.

— Moi, j'aime que tu les aimes.

— Tu aimerais vivre ce fantasme ?

— Non. Mais j'aime te le raconter. Tu es le premier à qui j'ose raconter.

— Pourquoi ?

— Parce qu'avec toi il y a de l'espace pour cela. Il y a de l'espace pour la nuit. Il y a de l'espace pour ma noirceur.

— Pourquoi tu appelles ça « une noirceur » ?

— Parce que ce ne sont pas des choses de jour.

— Pourquoi pas ?

— Tu vas recommencer encore ?

— Non, Véga. Non. Tu te sens toujours menacée dès qu'on aborde le sujet.

— Alors, ne l'aborde pas. Tout ce que je peux te dire,

c'est que j'aime la force avec laquelle tu réussis à souffler les barrières. J'aime cette force-là.

— Et moi, Véga, j'aime…

— Chuuuut! Tais-toi! Tais-toi, je t'en prie. J'aimerais que tu retournes à tes rêves et que, demain matin, tu te souviennes vaguement d'un voluptueux succube!

— Bonne nuit, belle étoile à mon ciel!

— Ciao!

Chapitre 31

Non mais, ce qu'ils peuvent avoir des idées saugrenues, les gars! Des goûts tellement étranges. Va pour lécher mon sexe. Même que je dois avouer que c'est très bon. Mais me faire prendre par en arrière... comme une chienne... ils repasseront! Non mais, c'est quoi, l'idée? Comme si ce n'était pas suffisant par en avant. On n'est pas des bêtes. Il n'y a aucune raison pour qu'on fasse l'amour de cette façon. Dans cette position-là, ça ne ressemble plus vraiment à l'amour. Ça devient uniquement physique. Trop physique. Je ne suis tout de même pas une putain.

L'autre jour, il voulait que ce soit debout. Je me sens mal à l'aise debout. Et puis, il faut tellement se tortiller pour arriver à trouver le chemin. Ça devient vite gênant. Non mais, il me semble que ce n'est pas si compliqué: moi sur le dos et lui sur moi. Bon, peut-être aussi sur le côté, parfois. Je peux comprendre. Ça met un peu de fantaisie.

L'amoureux que j'avais avant lui avait tenté de m'entraîner sur lui. J'étais allongée sur sa poitrine, et il me poussait pour que je me redresse. Pour que je m'assoie. Comme si je chevauchais un cheval. Non, merci! On n'est pas des animaux, bon sang!

J'ai vu faire ça, une fois. Ce n'est pas pour tout le monde. C'est juste pour les gros. Parce qu'ils ne peuvent pas faire autrement. Quand j'étais petite, ma sœur m'avait emmenée en voyage avec son mari et son enfant. Il y avait deux grands lits dans la chambre de motel. Je couchais dans un avec leur fille, elle et son mari dans l'autre. Une nuit que je ne dormais pas, j'ai vu ma sœur assise sur son mari. C'était horrible, mais tout de même normal : son mari devait peser plus de deux cent cinquante livres. C'est sûr qu'il ne pouvait faire l'amour autrement. Mais quand on n'a pas de problème de poids, on n'a pas à faire cela comme ça. C'est tellement gênant. Tu es assise comme sur une scène. Tous les projecteurs braqués sur toi. Je ne supporterais pas. J'ai besoin d'un peu plus d'ombre.

Et cet autre gars, l'an dernier. Rustre à souhait. C'était incroyable ! Je n'aurais jamais pensé qu'à vingt ans un gars pouvait ne pas savoir comment ça fonctionne, une femme. Ne pas savoir ce strict minimum qui est que les orgasmes vaginaux sont choses rares. Peu de femmes en ont. La plupart, nous jouissons par le clitoris.

On se caressait. C'était bien. C'était bon et puis v'lan ! Fini. Terminé. Il était soudainement prêt à me pénétrer. J'étais insultée. Choquée. Je lui ai demandé s'il savait comment jouissent les femmes. Il m'a dit que oui. Je tombais des nues. Il s'est senti gêné tout à coup. Ça a jeté un sacré froid sur nos ébats. Non mais, vraiment ! Il s'attendait à ce que je jouisse par le vagin ! Faut vraiment pas être allumé.

Ou bien ils ont d'étranges fantasmes ou bien ils sont carrément ignorants. Dans un cas comme dans l'autre, il n'y a rien d'intéressant. Si ce n'était que de moi, je m'en passerais volontiers.

Au collège, un de mes professeurs de philo, parlant de masturbation, disait qu'après l'orgasme solitaire, il se crée un immense vide intérieur, mais que, lorsqu'on fait l'amour, ce vide n'existe pas. Rien de moins sûr, cher professeur, rien de moins sûr. J'en ai senti si souvent à deux, des vides. Le « plein » de l'amour à deux, ça doit n'être que pour les gars. C'est certain que, pour eux, c'est plus agréable d'être plongés dans une femme que de se caresser avec la main. Mais, pour une femme, une main pour une main, ça revient au même, non ?

La fusion, la fusion! Je n'ai jamais senti de fusion quelconque dans la pénétration. Pour être franche, j'ai surtout hâte que ça finisse. Après quelques minutes, tu es toute sèche, et ça fait mal. Il n'y a rien de drôle là.

Ça fait trois fois qu'il essaie de me prendre par-derrière. Et je sens qu'il va encore essayer dans quelque temps. Comment lui faire comprendre? Il n'a pas l'air de se rendre compte à quel point c'est dégueulasse. Et puis, dans cette position-là, je me sentirais comme une putain. Oui, c'est ça, comme une putain. Je me sentirais tellement mal après. Parce qu'après, c'est sûr que son regard sera différent.

J'ai eu assez de honte pendant mon adolescence, je me suis sentie tellement putain dans le regard des autres, pas question que ça continue. Surtout pas avec le gars que j'aime. C'est tellement répugnant, ce mot: putain. Tellement sale. Ça rime avec dédain. Je ne suis pas une putain et je ne me comporterai pas comme une putain. Et si ça ne lui plaît pas, la façon dont on fait l'amour, c'est parce qu'il n'est pas vraiment amoureux. Et s'il veut du bordel, il n'a qu'à l'acheter à cette enseigne.

Chapitre 32

— C'est toute une surprise! Ça faisait longtemps qu'on ne vous avait pas vu ici, mon cher!

— Tellement que tu en as oublié le tutoiement?

— Je ne pourrai pas te faire grande causette ce soir, ça n'a jamais été aussi bondé de tout l'été.

— Je ne suis pas venu pour te parler. J'avais seulement envie de te regarder.

— Qu'est-ce que je te sers à boire?

— T'as oublié?

— Non... cognac!

Quelle douce caresse que ses yeux dans mon dos! Enfin! Et sur mes jambes. Ma hanche. Toute ma chair monte sur scène. Les feux de la rampe y font ondoyer des frissons colorés. Elle vit. Elle revit!

Il me semble l'avoir sentie tellement moribonde ces derniers temps. Suintante d'agonie. Que n'ai-je crié haro! Jusqu'à ce que ma voix s'éteigne. L'interdit s'insinuait. Revenait. Monstrueux. S'inoculait tout en catimini. Subtilement. Et le plaisir se voilait. Comme se voilent soleil et lune. Mais le coupable n'est pas le nuage. C'est le vent. Le vent sournois. Invisible. Impalpable. Impiégeable. Indétournable. C'est lui qui conduit les nuages.

C'est comme une oreille fraîchement percée à laquelle il faut garder un anneau, sinon le trou se referme. Jusqu'à n'y plus paraître.

Il ne faut pas que je quitte cette route. Que j'en perde la trace. C'est une sente de jungle luxuriante. Mes bras seuls et ma faux ne peuvent ouvrir la voie. Ma faux a besoin de sa main d'homme. Et ma peur, de son intrépidité d'homme. Quand toute cette végétation se ferme devant moi, que la noirceur la dessine sans plus de contour et que des hulule-ments inconnus enveloppent les mystères effroyables, alors je cours vite à mes cerbères, fieffés dévastateurs, mais ô combien rassurants parce que connus!

Mon sexe redevient laid loin de ses yeux. Tous les sexes redeviennent laids. Ils reprennent tous, un à un, les qualifi-catifs d'origine: odieux, ignoble, répugnant, abject, sale. Le sexe redevient Mal. Mal à punir. Mal à châtier.

*   *   *

— Fourbue et mourue, je suis toute à vous! J'ai bien dû marcher un marathon ce soir. Allez, viens! Il faut que je sorte d'ici. De l'air, de l'air, vite que je me «désenfume» un peu.

On dévale l'escalier comme des gamins. Une fois dehors, je me pends au bout de sa main, le corps un peu renversé, la tête humant le ciel.

— J'aime l'air quand ça a un parfum! Que l'air est bon, cette nuit! Sens! Sens bien! Tu entends?

— Qu'est-ce que je devrais entendre?

— Sens... Sens bien. Tu vas voir. Ça fait une caresse à l'âme. Quand la nuit ou le soir a cette odeur, il n'y a plus de problèmes possibles. Ça peut ne durer que quelques secondes, mais...

— Mais quoi?

— Tu vas rire.

— Non. Promis

— Ce n'est que dans les odeurs du soir et de la nuit que je trouve la force d'avancer, de repartir quand je suis arrêtée. Le malheur se dissout dans l'odeur. Tout, tout rede-vient possible.

— Et si tu n'es pas malheureuse et que les odeurs viennent ?

— Mes forces se décuplent.

— Et si tu es longtemps sans les odeurs ?

— Je meurs. Je meurs beaucoup même. Juste à ressentir la puissance avec laquelle je ressuscite avec les odeurs, je peux mesurer le poids de mes petites morts.

— C'est étrange. Et tu es tellement étrange, Véga !

— Tu trouves étrange que ma vie tienne à si peu ?

— Je ne sais pas si on peut appeler ça « si peu ». Je me sens mal placé pour mesurer le poids de tes « résurrections », comme tu dis.

— Pourquoi tu t'assois là ?

— Parce que c'est toi qui vas conduire.

— Et pour aller où, mon cher monsieur ?

— Chez toi.

— Chez moi ?

— Oui.

— Pourquoi ?

— J'aimerais simplement que tu m'invites chez toi. Si je ne m'invite pas moi-même, je sais que tu ne le feras jamais. Je veux dormir avec toi, Véga. J'ai envie de ta chaleur. J'ai envie de respirer l'odeur de ta nuque.

— Non. Vraiment, non. Je ne peux pas. Ça me pose un problème.

— Ça te pose un problème ? Mais ce n'est pas grave, il y a de puissantes odeurs dans l'air, ça devrait régler tes problèmes !

— Très drôle. Je savais que tu te moquerais.

— Pardonne-moi. C'est quoi, le problème ?

— Je ne veux pas que tu saches où j'habite.

— Et pourquoi ?

— Parce que je risque de commencer à t'attendre. C'est comme avec le téléphone.

— Tu attends qu'il sonne depuis que je t'ai appelée ?

— Oui. Certains jours plus, d'autres jours moins. Mais

c'est souvent épouvantable. Quand je n'en peux vraiment plus, alors je débranche.

— Mais ce serait un peu plus embêtant de déménager chaque fois que tu n'en pourras plus de m'attendre. C'est ça que tu veux me dire ?

— C'est un peu ça, oui.

— Et au bar, est-ce que tu m'y attends souvent ?

— Oui. Oui… Trop.

— Au bout de cette attente, tu te retrouves triste ?

— Non. Ce n'est pas une attente anxieuse. Ce n'est pas une attente jalouse. Elle est remplie de rêves, de rêveries, de fantasmes, de jeux, de sourires, de lunes, de caresses, de rires.

— Si elle n'est pas triste, où est le problème ?

— Ce n'est pas une attente triste, mais c'est une attente qui prend trop de place. Elle habite tous les soirs où je travaille. Elle habite mon chez-moi à cause du téléphone. Je ne veux pas qu'elle me hante constamment. Elle pourrait me bouffer, tu comprends ? Je veux un espace où tu ne sois pas.

— Allez ! démarre, s'il te plaît.

— Non.

— Véga, je veux dormir avec toi. Être avec toi, chez toi, dans *ton* monde, *ton* univers.

— Mon monde ? Il ne sera plus jamais pareil après, mon monde.

— C'est pour cette raison, Véga, que je veux que tu m'y emmènes. Il faut le changer, ce monde. Le monde ne doit pas être constamment paisible. Le calme doit être l'oasis, il doit être circonscrit à l'oasis, il ne doit pas être le désert tout entier.

— Tu bouscules toujours tout.

— Bousculer ? Ça dépend de la perception. Je bouscule l'immobilisme, oui. C'est vrai. Mais pas le mouvement. L'immobilisme, Véga, ça va à contre-courant de la vie.

— Mais c'est quand même bon parfois de s'arrêter, non ?

— Bon, oui. Mais dangereux. L'homme est fondamentalement paresseux. C'est ça, son «péché originel». La paresse s'abat comme un rapace sur ceux qui s'arrêtent. Les réponses, Véga, ne sont pas au bout de la route, elles sont *sur* la route. C'est pour cela qu'il faut toujours marcher, avancer. Dès qu'on arrête, tout se voile, comme un brouillard qui se lève. On n'arrive plus à voir la route. Et les pas perdus s'additionnent, se multiplient.

— Mais «avancer», ça ne veut pas dire faire des pas dans n'importe quelle direction. Ça ne veut pas dire suivre n'importe qui, n'importe quand, et pour n'importe quelle raison.

— Ce n'est pas ce que je te demande, Véga. Et tu le sais très bien.

— Au début de l'été, je me disais que je te connaissais bien peu et bien mal. Petit à petit, je me suis retrouvée avec la certitude que c'est moi que je connaissais bien peu et bien mal.

— La confrontation, ça sert toujours un peu de miroir.

— Tu vois, je ne sais rien de toi. Même pas ton nom! Depuis le début de l'été, ce n'est que moi que j'ai travaillé à découvrir.

— Et maintenant tu te sens fatiguée, et tu voudrais arrêter, te reposer un peu?

— Non, ce n'est pas vraiment cela. La question ne se pose pas comme ça. J'en suis venue à aimer marcher avec toi. Mais je ne veux pas que tu habites toute ma tête.

— C'est peut-être déjà fait, Véga. Non?

Silence. Et bruit de moteur. Il a encore gagné. La route du bar à chez moi n'aura jamais été si tortueuse.

— C'est ici.

— Tu me laisses monter?

— Je n'ai jamais le choix avec toi. Je n'ai surtout jamais le choix des armes!

Je sens une foison de menaces de l'autre côté de cette porte. Mais je ne reculerai pas. L'aventure avec lui se passe devant. Toujours devant. D'ailleurs, de toute ma vie, je n'ai jamais tant avancé que depuis qu'il y rôde.

Dès que la porte s'ouvrira, le vent va s'y engouffrer, sauvage. Tout me sera dévasté. Tout.

J'enfonce la clé. Comme une dague qui perce, qui déchire un mystère. Un obus qui fait brèche dans un château fort.

La clé tourne. « Tire la chevillette, la bobinette cherra… » Le grand méchant loup a trouvé la cache. L'occupante y survivra sans doute. Mais son monde en sera ravagé.

Sa main se pose sur mes cheveux. Les fait glisser sur ma nuque comme au théâtre un rideau. Sa caresse est si douce. Il tourne ma tête vers lui. Ses yeux sont de tendresse. Si je ne retenais en bride serrée mon imagination, je dirais que ses yeux sont d'amour plus que de tendresse. Mais j'ai l'imagination par trop romantique. Il me faut la ligoter. Imagination maladive qui m'a saccagé tant de terres déjà. Mon domaine tout entier. Je dois la garder au donjon.

Son amour n'est pas. Son amour ne se peut. Son amour ne vit que dans le désir que j'ai qu'il m'aime. Tout *est* ce soir comme cela *a été* toute ma vie. Pourquoi m'en étonner ? Ce désir qu'il m'aime, je le traîne comme une soif au désert. De ces soifs qui font mentir la réalité. Des soifs qui déforment tout. Qui font même apparaître des oasis.

Il n'est qu'oasis. Il n'est que mirage. Il n'est que mensonge. Ne confonds pas, ma belle. Ne confonds pas. C'est si dangereux de confondre.

Mes pas vont dans les siens. Ils me conduisent à ma chambre. Comme s'ils avaient fait ce chemin cent fois. Son étreinte est si tendre. J'ai envie de pleurer. Je ne sais pas pourquoi. Détourne tes yeux, je t'en supplie.

Non. Non. Je ne veux pas que tu m'aimes. Je ne veux pas commencer à croire que tu m'aimes.

Il m'étend doucement sur le lit, s'allonge à mes côtés. Sa main dessine des courbes amoureuses sur mon visage. Puis sur mon cou. Arrête, je t'en prie. Les boutons de mon chemisier cèdent un à un. Sa main, lente, effleure comme un voile ma poitrine.

Non. Non. Prends-moi animal. Pas amoureux. Attache-moi. Enfonce-moi sauvage. Dis-moi « putain ». Mais ne me dis pas que tu m'aimes. Ni avec tes mains, ni avec tes yeux, ni avec ta bouche. C'est impossible. Je sais trop que c'est impossible.

Sa bouche est comme une fleur à mon sein. Mon sein, comme une fleur à sa bouche. Sa main glisse à ma taille. L'enveloppe. L'enveloppe d'amour.

Non. Arrête ! Il ne faut pas jouer. Il ne faut pas jouer avec ça. Arrête, je t'en prie.

Sa bouche couvre la mienne. Tendre. Si tendre. Comme prête aux aveux, aux mots d'amour.

Il ne faut pas. Promets que tu ne diras rien. Dieu fasse qu'il ne dise rien. Ses mains ont déjà trop parlé.

Sa bouche ferme mes yeux. Je sens les larmes proches. Et le barrage si fragile.

Ses lèvres coulent comme dans un sillon de mes yeux à mon oreille. Dieu fasse qu'il ne les remue pas. Je t'en supplie.

Qu'on ne me dise plus rien qui ne soit éternel. J'ai besoin d'éternité. Je ne veux plus vivre avec la mort aux trousses. Mieux vaut ne pas vivre que de mourir constamment.

Sa main court à pas lents et feutrés sous ma jupe. Mon jupon. Ma culotte. Elle retire ma dentelle humide. Mon corps devient beau sous sa main. Sous ses yeux. Il va se laisser aimer, ce corps. Il cède. Il faute sans grands remords. Il me laissera seule à bord. Faible navarque sur ces eaux de tourmente. La nuit fourmille de tant de récifs.

Sa chair a trouvé la mienne. Au fond de mon ventre. Sa bouche reste à mon oreille. Son souffle, comme vent chaud, charrie des rumeurs. Son corps danse à peine. Comme barque à la dérive sur une onde légère. L'onde me berce. Je suis du voyage. Une chasse-galerie. Pied de nez au Bon Dieu et aux robes de sacristie. Bientôt le vaisseau va s'élever. Au-dessus des monts et des clochers. Au-dessus des obstacles visibles et invisibles. Canoë voguant, volant vers le pays de l'amour.

Non. Non. Reste. Reste ici. N'y va pas. C'est dangereux. Si dangereux. Ça peut être si faux. Ce *sera* si faux. Reste. Je t'en conjure. Ne dis rien.

— Véga... Véga... Véga... Ah! Véga!

Emmène-moi. Oui. Reprends ce souffle à mon oreille. Sens comme mes hanches nous entraînent. Oui. Laisse dériver. Que le vent déchire la voile. Que la nuit nous meure sur ses étoiles. Emmène-moi. Porte-moi. Emmène-moi là où vit la mort des ailleurs!

Chapitre 33

« Je suis au parc, en face. »

Voilà ! Je le savais ! Je savais qu'il viendrait rôder. Qu'il viendrait hanter le quartier. Cela fait dix jours que son fantôme m'attrape dès que j'ouvre ma porte. Je scrute les environs. L'horizon. Mes yeux cherchent sa voiture. Au retour, mon œil est plein d'espoir de le surprendre au pied de l'escalier. Et je laisse le téléphone branché. J'ai choisi de vivre au front !

J'attends. J'attends. Je ne me nourris que d'attente. Une attente à sens unique. Ça se sent. Lui, il ne m'attend pas. Jamais il ne m'attend. Même en ce moment, dans le parc, il ne m'attend pas. Il est là. Il vit. Il respire. Il n'a pas le pouls qui dérape. Il n'a pas la poitrine oppressée. Il est là, tout simplement. Et je viendrai. Je viendrai au bout d'un temps *vécu* et non pas d'un temps *attendu,* d'un temps *perdu.*

Il sait, lui, que jamais je ne forcerai ses lieux. Que jamais je ne le surprendrai dans son ressui. Que jamais je ne me ferai entendre au téléphone sans invitation. J'aurais trop peur d'être éconduite. Le rejet m'est par trop fatal. Je n'y survis jamais. Et cela, il le sait. Il sait qui je suis à ce jeu. Et je sais qui il est. C'est pour cela que rien n'est dit. Les mots ne nous seraient que redites superflues.

Il est dans le parc depuis peut-être une heure, deux, trois heures, quatre heures même, et, pendant tout ce temps, c'est moi qui l'ai attendu !

— Bonjour !

— Plutôt «bonsoir», belle Véga ! Tu arrives juste à temps pour le coucher du soleil.

— Oui... le soir... c'est étrange...

— Qu'est-ce qui est étrange ?

— Non, laisse.

— Véga, j'aime trop les étrangetés pour te laisser filer en douce avec une.

— C'est ridicule, peut-être... ça ne veut probablement rien dire, mais on dirait que...

— Que... ?

— Que les aiguilles ont changé leur itinéraire.

— Je ne te suis pas.

— Avant, les aiguilles semblaient tourner à l'envers du monde extérieur. Maintenant, il semble qu'elles...

— Qu'elles ont repris le cours insipide du banal, du commun, de l'ordinaire sens des aiguilles d'une montre ?

— Non. Euh... oui. Mais... non.

— You-hou, Véga ! Oui ou non ?

— Je ne sais pas comment te l'expliquer. Regarde, par exemple, ce coucher de soleil. C'est la première fois que je vois un coucher de soleil avec toi. Nous n'avions vu que des levers. Nous allions toujours vers l'aube. C'est étrange d'aller au soir avec toi. D'aller vers la nuit, d'aller à la nuit.

— Tu as l'impression que ça commence à s'assagir, que la tempête se calme ?

— Ouais, c'est un peu ça. C'est... ça me fait drôle de te voir avant la nuit.

— Mais je n'appartiens pas qu'à la nuit, Véga. Ni toi non plus.

— J'ai peur que le soleil ne nous fasse mal.

— Depuis tout à l'heure que tu dis «nous»...

— Où est-ce qu'on va ce soir ?

— Tu esquives encore... Il y a des choses que tu ne veux jamais voir, jamais toucher, Véga. Mais... bon. C'est bon. Je n'insiste pas. Je ne m'obstine pas.

— Merci !

— Pour répondre à ta question, on ne va nulle part. J'ai une bonne bouteille dans la voiture. J'avais envie de trinquer en ta compagnie en regardant arriver la nuit.

— Pourquoi? Parce que le rideau se baisse sur nos rencontres?

— Mais décidément, Véga! Qu'est-ce que tu as? Tu vois la fin partout ce soir. Qu'est-ce qui se passe?

— L'été s'achève.

— Et puis?

— Et puis...

— La vie s'arrête?

— Parfois, oui. Parfois, elle s'endort.

— Et tu as sommeil, Véga?

— Non, pas sommeil. Je déménage.

— Véga! Non! Tout de même pas parce que je sais où tu vis à présent?

— Non, non, voyons! Rassure-toi. Ce n'est pas ça! Rien à voir avec ça. Je retourne à Montréal.

— Tu retournes? Quoi? Tu vis à Montréal?

— Oui. Disons que j'étais en transit.

— Fini le bar?

— Oui.

— Et tu pars quand?

— Samedi en huit.

— Et où vois-tu une fin là-dedans? J'y vois plutôt un grand rapprochement, non?

— Il y a des plantes qui ne survivent pas aux changements de décor.

— Mais il y en a aussi d'autres qui doivent être déménagées pour s'épanouir. Véga, la vie n'a pas qu'une saison. Qu'est-ce que tu crains? *Qui* est-ce que tu crains? Toi ou moi?

— ...

— Réponds sincèrement.

— Sincèrement! Je ne fais que ça, être sincère avec toi. Je suis devenue un monstre de sincérité. Ce n'est ni toi ni moi que je crains.

— C'est ?

— …

— Tu crains la fin ? C'est ça ?

— Oui.

— Véga, les grands philosophes diraient que la fin existe pour conjurer l'immobilisme.

— Justement. Elle conjure toujours tout. Toujours tout et trop vite.

— Mais c'est ça, *marcher*. Ça a un prix, *marcher*. Et ce n'est que par la fin qu'il peut y avoir des débuts.

— Mais, dans les fins, tu n'as jamais peur de perdre, toi ?

— La question ne se pose jamais de cette façon. Je n'ai pas peur d'avancer. Ça ne veut pas dire que je ne souffre pas quand je perds, mais je n'ai pas la peur de perdre.

— Alors quoi maintenant ? Je te donne ma nouvelle adresse ? Ou bien on recommence comme en mai, et j'ouvre un casier postal ? Ou tu me forces à t'inviter chez moi ? Je te donne mon numéro de téléphone aussi ?

— Tu es cynique. Je t'en prie, Véga. Pas ça.

— Je m'excuse. Ça sent la fin, et je me sens mal, c'est tout.

— Tu aurais envie de me donner un rendez-vous ?

— Disons que ce n'est pas cet été que j'ai pu prendre de l'expérience en la matière.

— Et si je te passais la main ? Crois-tu que tu pourrais appeler « atout cœur » ?

— …

— Tu ne dis rien ?

— Je m'habitue mal à ce changement de règles ! Laisse-moi une seconde… Disons le 7 septembre à sept heures, le soir… Parlant de soir, le soleil s'est finalement couché sans nous !

— J'ai pu l'épier du coin de l'œil. Je n'ai pas tout manqué.

— Et puis ?

— Flamboyant. Comme toi. Tu vois, Véga, une fin, que

ce soit une fin de jour ou une fin de quoi que ce soit, ça peut être séduisant, enivrant !

— Mais, entre la fin et le commencement, il y a la nuit. La noirceur.

— Là, tu te trompes, Véga. Entre la fin et le commencement, il y a les étoiles. Mais il y en a surtout une du nom de *Véga*. Attends, je reviens.

Véga. Au cœur de la nuit. Entre deux soleils. Effacée par la lumière du jour. Plongée dans le néant dès l'aube. J'y disparais. Je deviens pure négation. Il dépend du vent et des nuages que je revive le soir de nouveau. Mais des semaines peuvent passer sans que je sois à la nuit. Je suis un souffle intermittent. Ce soir, je respire, mais le souffle est saccadé. Trop d'incertitudes masquent ma nuit. J'ai envie de sa tendresse, et elle est au rendez-vous. C'est la mienne qui n'y est pas. J'ai envie de *ma* tendresse. J'ai envie de la laisser libre. Libre de dire. D'avouer. De confesser. Une fois pour toutes. J'ai envie d'aimer. J'ai envie de l'aimer. D'amener mes mots à la lumière.

Est-ce à lui ou à moi que je n'ose cette confession ? C'est cela, être «prise» ? Corps, cœur et pensée. *Prise* comme dans *prisonnière*.

— Eh ! wow ! Des coupes à champagne ! On ne se refuse rien !

— Ta-dam ! Et champagne, madame ! Attends une seconde… Tiens, Véga. Un toast à la vie !

— Oui ! Et à ses mystérieux détours !

— Et à ta lumière aussi, Véga !

— Ouais, ouais. Tu oublies que les étoiles sont de la nuit. Cernées de noirceur. De profonde obscurité.

— Tu n'es pas la nuit. Véga est brillante étoile. C'est toi, la spécialiste d'astronomie, non ? Véga est lumière, lumière dans la nuit. Je crois que tu aimes bien la nuit pour l'occasion qu'elle te donne de luire. Mais je ne crois pas que tu aimes profondément la nuit.

— Tu sais, parfois j'ai l'impression que ce n'est pas moi qui m'agrippe à l'obscurité. C'est comme si quelque chose en moi ne m'obéissait pas. Quelque chose qui vénère un autre dieu.

— Ou un autre diable?

— Ouais. L'image est bonne! Un autre diable! Tout ça se joue dans un coin de ténèbres. J'en ai occis plusieurs depuis le début de...

— Pourquoi tu t'arrêtes?

— ...

— Véga!

— Non, laisse.

— Tu crains de prêter le flanc?

— Oui.

— Tu voulais dire: depuis le début de l'été, depuis notre rencontre?

— Oui.

— As-tu déjà, seulement une fois au moins, accepté de regarder la lumière?

— Ce n'est pas la lumière qui m'exorcise. Il n'y a que la danse pour me mettre à l'abri des terreurs, de mes terreurs. C'est quand je danse que je vis le plus «justement». Les mots, les idées, la vie coulent à travers mes gestes. J'arrive à tout dire. À tout vivre. À tout crier. À tout pleurer. À tout rire. À tout embrasser. Zarathoustra dit dans *Le Chant des tombes*: «C'est dans la danse seulement que des plus hautes choses je sais dire l'image.»

— Tu oublies la suite, Véga. Zarathoustra ajoute: «Et désormais non dite est dans mes membres demeurée mon image la plus haute! Non dite et non délivrée resta pour moi mon espérance la plus haute!»

— Comment! Comment? Tu connais...?

— Tu es surprise que je connaisse Nietzsche?

— Euh... ouais... euh... non. Non. Mais...

— Quand je t'ai vue danser, la première fois, je me suis souvenu d'avoir lu quelque chose que ta danse décrivait. J'ai fouillé, et j'ai fouillé. J'ai mis ma bibliothèque sens dessus dessous, et j'ai finalement retrouvé ce fameux passage dans *Ainsi parlait Zarathoustra*.

— Et tu as accroché sur la dernière partie de la phrase, euh, plutôt de son idée ?

— Oui. Parce que c'est d'elle que me parlait ta danse. Tu vois, Véga, ta danse t'exorcise, certes, mais elle te trahit aussi. Elle joue trop près du point d'éclatement. Tu ne réussiras pas à la tenir toute ta vie à bride serrée.

— Je sais.

— Je dois te dire bravo ! Tu n'as pas encore cherché à t'enfuir.

— Là, c'est toi qui es cynique !

— Oui. Embrasse-moi, j'ai tellement envie de tes lèvres, Véga !

— Prends-les, fais-les taire. Elles sont trop bavardes !

— Mais même tes baisers sont bavards, Véga !

— Et qu'est-ce qu'ils te disent, mes baisers ?

— Des choses que tu ne veux pas encore dire. Des choses que tu ne veux pas encore t'entendre dire. Je me trompe ?

— ...

Chapitre 34

Comment a-t-elle pu jamais écarter les jambes ? On l'y a forcée, c'est certain. Jamais elle ne se serait laissée aller à tant de vulgarité. De bestialité. Il n'y a qu'à la regarder pour comprendre. Elle n'a pas de sexe. Par cent fois, un homme lui en a donné un. Lui en a obligé un. Mais ce sexe n'était pas elle.

Je ne l'ai jamais vue nue. Mais je peux jurer qu'elle n'a pas cette fente du pénil au coccyx, comme toutes les femmes. Elle urine comme elle a accouché : sans rien ouvrir. Saintement. Elle est plus que vierge. Elle est sans sexe. Elle est le non-sexe.

Est-ce sa religion ou son Dieu qui en est la cause ? Est-ce son dieu Religion ou la religion de son Dieu ? Toutes ces bulles, tous ces préceptes en chaire pour déposséder la chair ? L'obligeant à des devoirs tout en l'obligeant à détester comme peste le geste de ces devoirs.

La vie l'a fait naître pure. Sans tache. Elle fut l'aube que le zénith voulut accabler. Que le crépuscule voulut asservir à son désir. Que la nuit viola.

Son rayon d'aube se répandit en éclats d'infimes lumières vacillantes au creux de la nuit. Fruit de l'acte vil par-dessous tout, j'en porte la souillure et la honte.

Chaque nuit rappelle l'odieux de ma provenance. Et ma faible luminosité ne parvient qu'à éclairer le noir. Qu'à le rendre plus présent. Plus puissant. Plus terrifiant.

Ma mère est le non-sexe. Et se dégoûte du fruit imposé. De ses fruits imposés. Quatre fruits à saveur de bestialité suprême : quatre filles. Quatre filles aux démons sataniques fourrés dans l'entrecuisse. Quatre petites saletés. Quatre grands sommets de l'impureté.

C'est d'abord cela que j'ai su. Que nous avons su. Notre vilenie. Tout le reste est venu après. S'est greffé au pourtour. Laissant en plein centre, au grand jour, à la face du monde, la marque infâme. Quatre putains.

Tous ces fantasmes, les ont-elles eus aussi ? Toute cette violence entre leurs cuisses, ne l'avaient-elles pas aussi, mes sœurs ? Cette envie d'être un jour soumise au sexe dressé ? D'être prise *totalement femme* par *totalement homme* ? Ces fantasmes pervers qui hantent les caresses interdites ? Ont-elles eu aussi la perversité de leur interdit ? Ont-elles aussi poussé l'audace jusqu'à être ce qu'elles n'étaient pas pour en finir avec ce qu'on disait qu'elles étaient ?

La femme au non-sexe a mis au monde quatre putains. Quatre putains qu'il fallait exorciser coûte que coûte. L'entreprise de conversion a presque totalement réussi. Je reste et demeure l'échec.

Toutes, une à une, ont refermé leur corolle. Après, souvent, l'avoir bien saccagée à la pointe des bistouris. Après l'avoir conduite au point de non-retour. Ouvrez grandes, mes sœurs, vos jambes vicieuses, que le bistouri puisse extirper la trace de l'odieux, de l'ignoble. Vous porterez, ostensibles, vos cicatrices comme tares qui jamais ne s'effacent. Vous les arborerez jusqu'à la mort. Et l'au-delà vous les rendra à l'âme. Condamnation éternelle. L'éternité vous verra errer sans sexe. Mais toujours marquées de l'empreinte indélébile de l'avoir déjà porté.

Vivianne a les ovaires rongés de kystes. Les seins aussi. La médecine l'a accouchée de son utérus. Saleté en moins. Marie-Anna aussi y est passée. Elle, elle saignait. Toujours. Un flot de sang sans fin dès après l'invitation d'un sexe. Plaie ouverte et béante sur le désir de l'autre. Le sang a coagulé dans l'assassinat du désir. L'amputation fut totale.

Et Jasmine sur la voie du yoga monta jusqu'à Dieu. Pour l'implorer. L'adjurer de clouer son sexe au donjon des grandes noirceurs d'arrière-pays. En échange de quoi, elle jura de ne vivre plus que *dans* et *par* une seule pensée : celle de Dieu, son sauveur. Elle racheta sa faute originelle.

Tout a échoué pour moi. Je suis le grand échec de cette vierge. Rien ne m'a été amputé. Et mon Dieu vit toujours à l'ombre de mon diable. Je danse encore au milieu de la nuit. J'ai été longtemps, oui, suturée de l'intérieur. Suturée par la pensée. Mais tout semble vouloir s'évanouir sous le règne de Véga.

Véga brille étincelante au ciel de la mi-nuit, oubliant sa vie d'ancienne flamme qui vacillait au vent culpabilisateur soufflé par la femme au non-sexe.

C'est lui qui a *fait* Véga. C'est lui qui a fait dévier la trajectoire. Ma trajectoire. C'est lui qui ahane pour m'arracher à la nuit. C'est lui qui dresse une égide contre le grand sceau. La grande cicatrice. Le stigmate éternel.

Mais Véga n'arrive pas à lâcher totalement prise. L'abandon définitif m'est interdit. Et au corps et à l'âme. Pourtant, le désir coule de l'un à l'autre en des vaisseaux gorgés.

Je veux m'enfiévrer. Je veux l'aimer. Mais j'ai si peur. Je crains l'ordinaire. Je crains l'habitude. L'oubli. L'oubli dans l'habitude. J'ai peur de tuer la magie. De tuer la folie, surtout. Cette folie de nos nuits qui me traverse au sexe et à l'âme. C'est cette folie qui repousse mes frontières.

Je veux l'aimer. Et que son sexe me touche. Me perce en mon centre. Que je m'éparpille en faisceaux de lumière. Et, comme feux d'artifice, que j'inonde les ciels de nuit. Jusqu'à les colorer tout entiers de lumière. Jusqu'à ce que jour s'ensuive. Jour à l'âme et au corps.

Je veux l'aimer. Et s'il n'aimait que la putain ? J'en ai si peur. Comme une certitude plus qu'un doute.

Je commence doucement à m'enfuir. Je m'esquive. M'échappe. M'évade. Pourtant, pourtant… la force obscure est vaincue. Le Minotaure gît à ses pieds. Il est même monté à la tour. De tous les obstacles à anéantir, un seul se dresse toujours. Mon abandon. Un abandon patient qui attend derrière cette porte. Verrouillée. Je garde la clé. La suite ne lui appartient plus. Elle n'appartient plus à sa force. Ni à sa volonté. Le dernier consentement est mien. Il devra venir de moi.

Mais la raison s'est teinte de peur. Plus encore que la peur de l'habitude, la peur du jour. Le jour m'effraie. Pour n'en savoir rien. Pour n'en avoir jamais rien su. L'ignorance m'en fait tout craindre. Pourrai-je être «jour»? Ou ne serai-je que lumière d'étoile fondue, *confondue* dans le jour? Il n'est qu'une seule issue à cette geôle, et c'est l'inconnu. En aurai-je le courage?

J'entends son souffle derrière la porte. Mettrai-je la clé à la serrure? Avant que de n'en entendre plus que le lointain écho?

Chapitre 35

Me revoilà plantée dans un nouveau décor. Ma pensée reste obsédée. Je sais bien que rien ne sera plus comme avant. Malgré ce rendez-vous fixé dans quelques jours. Dans deux jours, en fait.

Ce matin, je me laisse reprendre tout entière par mes livres. La connaissance ! Mais ce ne sera jamais elle qui pourra me conduire là où notre folie d'été promettait de m'emmener.

Ce que je donnerais pour garder à jamais mes yeux rivés sur ce souvenir, sur cet été ! Je garde les yeux fermés, clos sur mon souvenir. Encore quelques secondes précieuses. Si précieuses. Dès que le professeur entrera dans l'amphithéâtre, qu'il fera l'appel des inscrits, des conscrits ! nous nommant un à un, nous faisant exister un à un, je consentirai à ouvrir les yeux sur mon nouvel univers. Ou plutôt mon ancien univers ! Pas avant. Qu'est-ce qu'il me restera de cet été une fois les yeux ouverts ? Qu'un écho de pensées ? Un écho… Un écho ! Un écho ? Je rêve ! Ma rêverie me rend folle ! J'entends l'écho. J'entends sa voix. Démence ? Folie ? Non, non. Non. Non. Je déraille ! Si j'ouvre les yeux, serai-je encore dans cet amphithéâtre ? Au milieu de cette soixantaine d'étudiants ? L'écho des voix a-t-elle le pouvoir de nous transporter dans l'espace ? Et dans le temps ? Ouvre les yeux, ma belle. Ouvre-les. Laisse là Véga et reviens. Reviens. Reviens aux livres. Reviens à la raison. Et tous ces noms que j'entends, tous ces noms prononcés comme, la nuit, il prononçait «Véga».

— Sabrina Gagné ?

Ouvre les yeux, Sabrina. Fonce. Fonce devant. Laisse Véga derrière. Avec ses rêves et ses hallucinations.

— Sabrina Gagné ?

Non ! Ce n'est pas vrai. Il me faudrait rire. Mais c'est comme si tout s'effondrait. Rien de drôle. Un coude me secoue.

— Hé ! Sab, réveille ! Réponds, voyons, le prof appelle ton nom ! Qu'est-ce que tu as ? Tu te sens mal ?

Il me faut m'enfuir. Tout se brise. La magie se meurt. Le spectacle est trop affolant. Il vient de m'apercevoir. Mes pieds dévalent l'allée. Son regard arraisonne le mien. Un regard tout en surprise. Pure surprise.

— Excusez-moi, monsieur, je me suis trompée de cours.

La porte claque derrière moi. Un tremblement assaille mes jambes. Un sanglot s'accroche à ma gorge. Un spasme, à ma poitrine. Je dois me sauver. Loin. M'enfuir. Mon reste de rêve se lézarde. Je ne veux pas être de l'écroulement qui s'annonce.

Sabrina Gagné. Ce nom dans sa bouche. Comme promesse de fin prochaine. N'être plus jamais vécue en ses yeux. Et les croiser tous les jours, ces yeux. Des yeux qui me verront «putain» en ces couloirs du savoir. Des yeux qui jamais ne solliciteront de vraies conversations. Des yeux qui seraient par trop «juges». Je ne puis être son étudiante, je n'ai été que trop sa putain.

Je vais abandonner ce cours. C'est certain. C'était donc lui, le professeur invité. Le professeur dont personne ne savait rien, pas même la secrétaire du département. Rien, si ce n'est sa spécialisation sur Nietzsche ! C'est pas vrai… C'était pour ça, le *Zarathoustra* !

Ç'aura été cette même passion qui nous aura fait nous reconnaître aux travers des brumes et des vapeurs d'alcool dans ce bar ? Cette même passion qui m'éloigne. Me repousse ce matin. Il me faut me calmer. Dehors. Dehors. De l'air. Je reviendrai plus tard pour annuler ce cours. Annuler ce cauchemar.

*   *   *

Nom. Prénom. Code permanent. Titre du cours. Sigle du cours. Numéro de groupe.

Une main m'arrache le formulaire. Le déchire. Le rejette sur la table.

— Il n'y a plus personne qui se sauve. Viens à mon bureau.

Il tourne les talons ferme. Reprend le couloir vers la section des bureaux des professeurs. La surprise me paralyse. Encore la surprise.

— Entre. Assieds-toi. Il t'apeure à ce point, le jour?

— La magie est morte.

— Quand j'ai prononcé ton nom, peut-être?

— Oui. En entendant mon nom, j'ai entendu la magie se froisser. En sachant le tien. En sachant ta vie.

— Ma vie, Sabrina? Ma vie? Tu sais ma vie, toi? Tu sais ma vie maintenant? Tu crois savoir ma vie? Tu apprends mon nom et tu déguerpis comme une voleuse. C'était quoi, ton jeu? Tu jouais à «jusqu'à-quand-tu-réussirais-à-ne-pas-savoir-mon-nom»? C'est ça? Tu t'amusais avec un inconnu, tu ne t'amusais pas avec moi?

— Pour toi, rien ne s'est cassé ce matin?

— Pourquoi quelque chose se serait cassé? C'était plutôt cocasse. Ce rendez-vous que nous gardait l'été. Sabrina, tu as fait un bon tour de ma folie. Il faut que tu trouves le courage de faire le tour de ma raison. Le voyage est sans doute plus tortueux, moins enivrant. Les pentes sont parfois plus abruptes. Les gorges, plus profondes. On y saigne plus abondamment lorsqu'on y trébuche. On s'y écorche plus vivement. Mais c'est un grand voyage. Tu sais, le pays que je t'ai donné à visiter, tu es la seule qui l'aies vu. Qui l'aies aimé autant que je l'aime. Tu es la seule qui aies eu envie de le découvrir, de le parcourir. Tu es la seule à qui j'aie eu envie d'ouvrir la porte. Et c'est pour ta folie à toi que je suis revenu dans ce bar perdu. Pour ta démesure. Je n'ai jamais joué avec toi, Sabrina. Jamais. Je vivais.

— Tout ce que tu as vu de moi, c'est une démesure de perversité. Et ce n'est que cela que tu pourras voir à l'avenir. C'était tellement démesuré que tu ne réussiras à voir rien d'autre en moi.

— Balivernes, Sabrina. Cette démesure, je l'ai vue, oui. Et je l'ai prise et je l'ai aimée. Mais elle ne m'a jamais rendu aveugle au reste. Au contraire. Chaque fois que je suis revenu, c'était pour ta totalité. Pour ce que je savais et ce que je ne savais pas. J'ai envie de te prendre entière, Sabrina, avec tes mystères et tes voiles levés. Tu me restes mystérieuse, même après ce matin, même après cet été, même après la débauche, même après la tendresse, même après nos recensements d'étoiles quand on les voyait doubles ! Et tu me resteras mystérieuse même après que j'aurai mis une note au bout de ton nom pour ce cours que tu n'abandonneras pas. Même après ta sortie de l'université. Mes habits de prof respectable ne me feront pas rejeter ce que j'ai partagé avec toi. Tu veux que je te dise ? Je n'ai pas peur de ta putain. Je n'ai pas peur de la putain dans la femme que j'aime. Je l'aime aussi. Et elle me nourrit aussi. J'aime Véga et j'aime Sabrina. Les deux peuvent vivre. Ça ne dépend que de toi. Il te reste à choisir : ou tu acceptes ta putain ou tu t'enfermes pure et vierge avec tes cerbères. Ce n'est pas moi qui peux faire ce choix pour toi. Moi, je t'ouvre la porte. C'est toi qui es prise avec tes peurs. Ta peur. Ta grande peur. J'ai vu des soleils à minuit avec Véga et…

— Et tu veux en voir à midi avec Sabrina…

— Oui. Exactement.

Ses mains saisissent mes épaules. Son regard enficelle mes yeux. Il plonge. Il plonge à ma frontière.

— Je m'appelle Philippe. Et je m'appelais Philippe pendant toutes ces heures, ces semaines où tu ne savais pas me nommer. Je m'appelle Philippe, et je t'aime, Sabrina.

M'aimer ? Il m'aime ? Ce n'est jamais éternel, un mot d'amour. Et j'ai tant besoin d'éternité.

Sa main glisse à ma hanche. À ma cuisse. Revient à ma hanche sous ma jupe. Ma culotte se déchire au désir de sa main. Ses yeux me tiennent clouée à son « je t'aime ». Mon sexe s'ouvre sur lui. Et je l'enserre. De toute ma source. De toutes mes eaux. Les spasmes affolent son désir dressé. Ses yeux me tiennent. Me retiennent. Je ne peux plus évader mon regard. Il le darde. Le perce. Le transperce.

— Je t'aime, Sabrina.

Mais toujours les gens partent. Et quand ils partent, ils saccagent. Mais surtout, ils inventent. Ils trahissent le vrai de ce qui a été. Ils ne clament que des demi-vérités. Et lui, il dira la perverse putain que j'ai été. Il ne dira jamais l'amour.

— Je t'aime, Sabrina.

Il est ma démence. Mon cri. Ma lame. Ma lame à tuer ces monstres. Comment peut-il prétendre aimer au-delà de la putain ? Impossible.

— Je t'aime, Sabrina.

Ce mot d'amour m'étrangle à l'âme. Il m'aime ? Malgré ma nuit ? Non. Que non. Je le sais trop bien. Ça, je l'ai appris jeune. Très jeune. Les gens n'aiment pas la nuit des autres. Ils s'y faufilent. Y embrassent et s'y embrasent, mais ils n'aiment pas. Il reste toujours une tache au déjeuner. Indélébile. De ces taches qui ne survivent pas à midi. De ces taches qui gangrènent. Qui gangrènent tout. Sournoisement. Jusqu'à, un jour, la moelle du désir. Discute-t-on de Nietzsche à la table d'une putain ? Que non !

— Je t'aime, Sabrina.

Ses yeux s'accordent à ses mots. Dérangeants. Étrangement dérangeants. Regard tout à la fois dépossédant et donnant tout.

— Je t'aime, Sabrina.

Son désir se gonfle à mes parois. Son œil me perce à l'âme.

— Écoute, Sabrina! Tu entends? Goûte comme c'est bon d'être deux! Je crois qu'on peut vraiment être deux maintenant!

— « Deux maintenant »?

— Toi et moi.

— Pourquoi tu dis « maintenant »?

— Parce qu'on a toujours été trois. Trois. Moi, toi et tes monstres. Tes peurs. Ta peur de l'abandon.

Des éclats de nuit s'entendent. Retentissants. Comme volcan. Comme séisme. Et cette lumière à mes yeux. Ce feu qui embrase la noirceur.

Un souffle s'entend à *ma* porte. Comme un souffle qui balaie. Un souffle qui nettoie. Qui lave toute culpabilité et qui décape la peur.

— Je t'aime, Sabrina.

Un rayon de lumière crue court sous *ma* porte. Je sens la clé tourner sous mes doigts. Elle tourne. Tourne encore. Encore. La porte s'entrebâille, timide, sur un monde enfin propre!